九天日月開新運
萬里笙歌樂太平

春联挥毫必备

智永楷书千字文集字春联

沈菊 编

上海书画出版社

《春联挥毫必备》编委会

出版说明

『爆竹声中一岁除，春风送暖入屠苏。千门万户曈曈日，总把新桃换旧符。』王安石的《元日》诗描绘了一幅宋代的春节风俗图：燃爆竹、饮屠苏酒、换桃符。然而，早在一百年前的五代后蜀孟昶那里，桃符已以一副书为『新年纳余庆，嘉节号长春』的春联悄悄改变了形式与内涵：鲜艳的红纸取代了长方形桃木板，吉祥的联语取代了『神荼』、『郁垒』的名字或画像，其寓意也由原来的驱邪避灾转向了求安祈福。春节是我国农历年中第一个也是最重要的传统节日，春联在辞旧岁迎新春的同时，也渗进了农业社会人们朴素的生活理想：国泰民安、人寿年丰、家庭和睦、事业顺利。春联对仗的联语不仅是文字的精妙组合与书法的多样呈现，更是人们美好生活祈向的承载。这些生活祈向，虽然穿越古今，却经久不衰，回荡在一代代人的内心深处。作为这些生活祈向的载体，作为从古代派往现代的使者，春联的命运也同样历久弥新。无论大江南北、农村城市，抑或雅俗贵贱、穷达贫富，在喜气盈门的春节里，都不能没有春联的表达与塑造！

我社出版的『春联挥毫必备』系列，集名家名帖之字，成行气贯通之联。一家一帖集成一书，其内容又以类相从编排，不仅从形式到内容上有力地保证了全书的一致性与连贯性，更便于读者有针对性地、分门别类地欣赏、临摹、创作之用。可以说，一编握手中，一切纳眼底，从书法的字体书体，到文字的各种情感表达，及隐藏其后的对生活的深刻理解与美好祈向，都能在本书中找到满意的答案。

上海书画出版社

目录

出版说明

通用春联
大地春光好 长天晓日红……1
风和千树茂 雨润百花香……2
盛世千家乐 新春万户兴……3
健康如意节 平安吉祥年……4
人间春尽染 天下乐相容……5
万家腾笑语 四海庆阳春……6
阳光照大地 春色入人间……7
冬去山明水秀 春来鸟语花香……8
山色不随春老 竹枝长向人新……9
春草满庭吐翠 百花遍地飘香……10
日出江花红胜火 春来江水绿如蓝……11
九天日月开新运 万里笙歌乐太平……12
岁自更新春不老 花多增色水长流……13
丽日祥云承盛世 和风福气载新春……14
万象更新无山不秀 一元复始有水皆清……15

丰收春联
千家迎新岁 万户庆丰年……16
雪映丰收景 梅传欢庆年……17
阳春回大地 瑞雪兆丰年……18
百业兴旺日 五谷丰登时……19
人勤三春早 地肥五谷丰……20
迎春接福日 足食丰衣年……21
年丰德茂福盛 家旺国兴人和……22
丰收美景千山翠 致富红花万里春……23
庆丰收举家欢乐 迎新春满院生辉……24

福寿春联
勤俭千载富 和睦一家春……25
国富声威远 家和福气多……26
春在江山里 人居幸福中……27
人寿年丰福满 花香柳绿春浓……28
文明社会春光好 勤俭人家幸福多……29
木荣花绽新春色 子孝孙贤美德风……30
新春福旺迎好运 佳节吉祥开门红……31
新景千祥临福地 阳春百福入高门……32
山高水远长春景 花好月圆幸福家……33

文化春联
忠厚传家远 诗书济世长……34
书存金石气 堂有蕙兰香……35
修业勤为贵 行文意必高……36
山川生瑞气 笔墨绘祥光……37
读书澄怀秋水 对友如坐春风……38
风采三秋明月 文章万里长江……39
一院芝兰瑞气 万家杨柳春风……40

松下清琴皓月 花边鸟语春风……41
神传天外诗无草 春到人间笔有花……42
春风大雅能容物 秋水文章不染尘……43
春风来时宜会良友 秋月明处常思故乡……44
行业春联
一代园丁乐 四时桃李荣……45
生意如春意 新年胜去年……46
师指千条路 烛明万里程……47
图书腾凤彩 文笔若龙翔……48
满面春风迎客至 四时生意在人为……49
满地流金广财入 新春大吉福运开……50
贵客盈门庭似市 春风入户月如人……51
东风吹奏园丁曲 大地迎来桃李歌……52
爱国春联
江山春不老 祖国景长新……53
雪里江山秀 花间岁月新……54
红日千秋照 神州万载春……55
田园图画美 祖国江山娇……56
神州扬正气 大地荡春风……57
日丽风和人乐 国盛民富年丰……58
祖国山清水秀 中华人杰地灵……59
年丰德茂福盛 家旺国兴人和……60
国富民安事业旺 江山如画晓光新……61
水色山光阳春万里 花香鸟语丽景九州……62
东风引紫气江山秀美 大地发春华桃李芬芳……63
生肖春联
宏图众手绘 春曲神龙吟……64
碧海开龙殿 青云起雁堂……65
笙歌辞旧岁 羊酒庆新春……66
鸡鸣天放晓 政改地回春……67
金鸡日独立 紫燕春双飞……68
神州大地千家富 龙腾华夏万户春……69
欣看大地千里秀 笑望巨龙四海飞……70
紫燕迎春一路东风歌大治 金鸡唱晓九州时雨润小康……71
横披
吉祥如意……72
春色满园……72
万象更新……72
物华天宝……72
春华秋实……73
鸟语花香……73
瑞满神州……73

上联 一 大地春光好
下联 一 长天晓日红

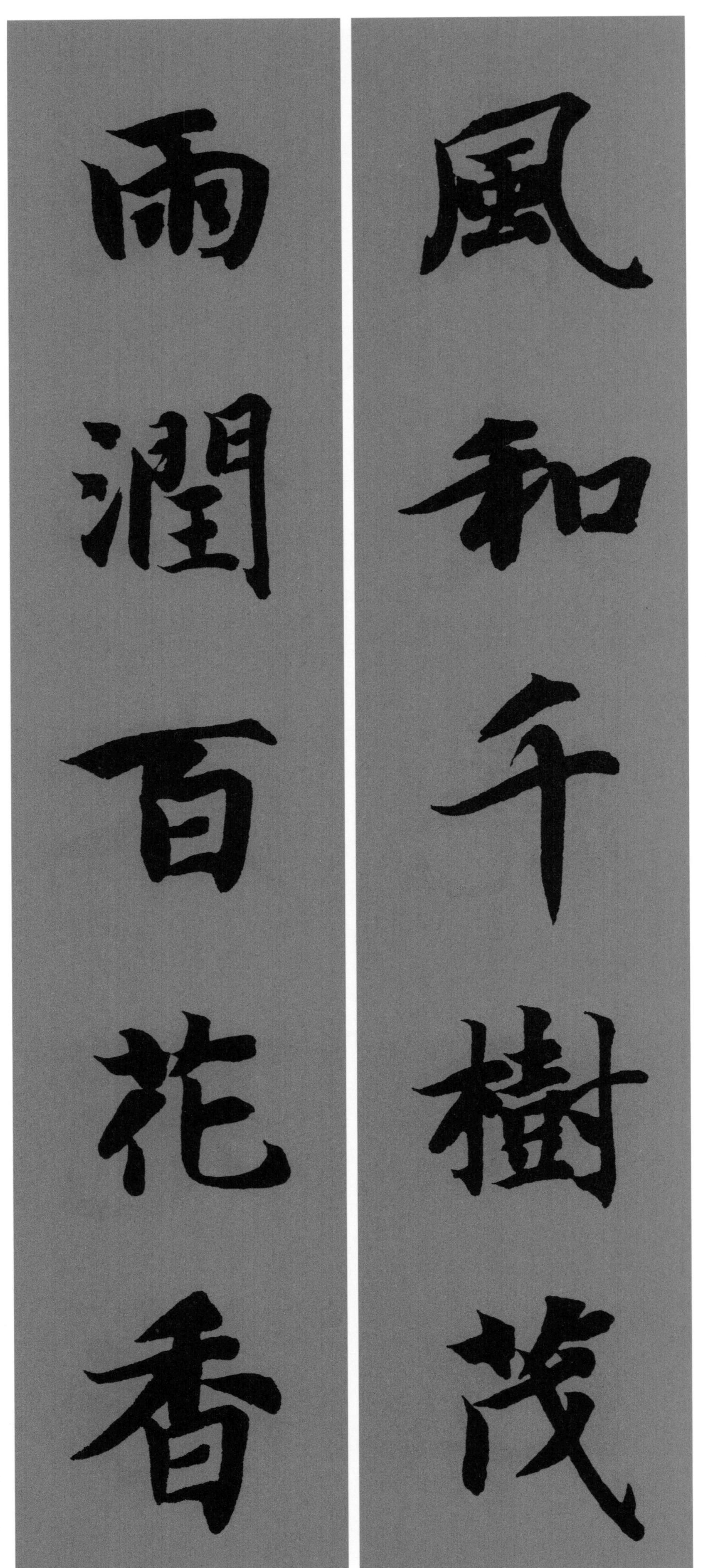

上联｜风和千树茂
下联｜雨润百花香

上联一盛世千家乐
下联一新春万户兴

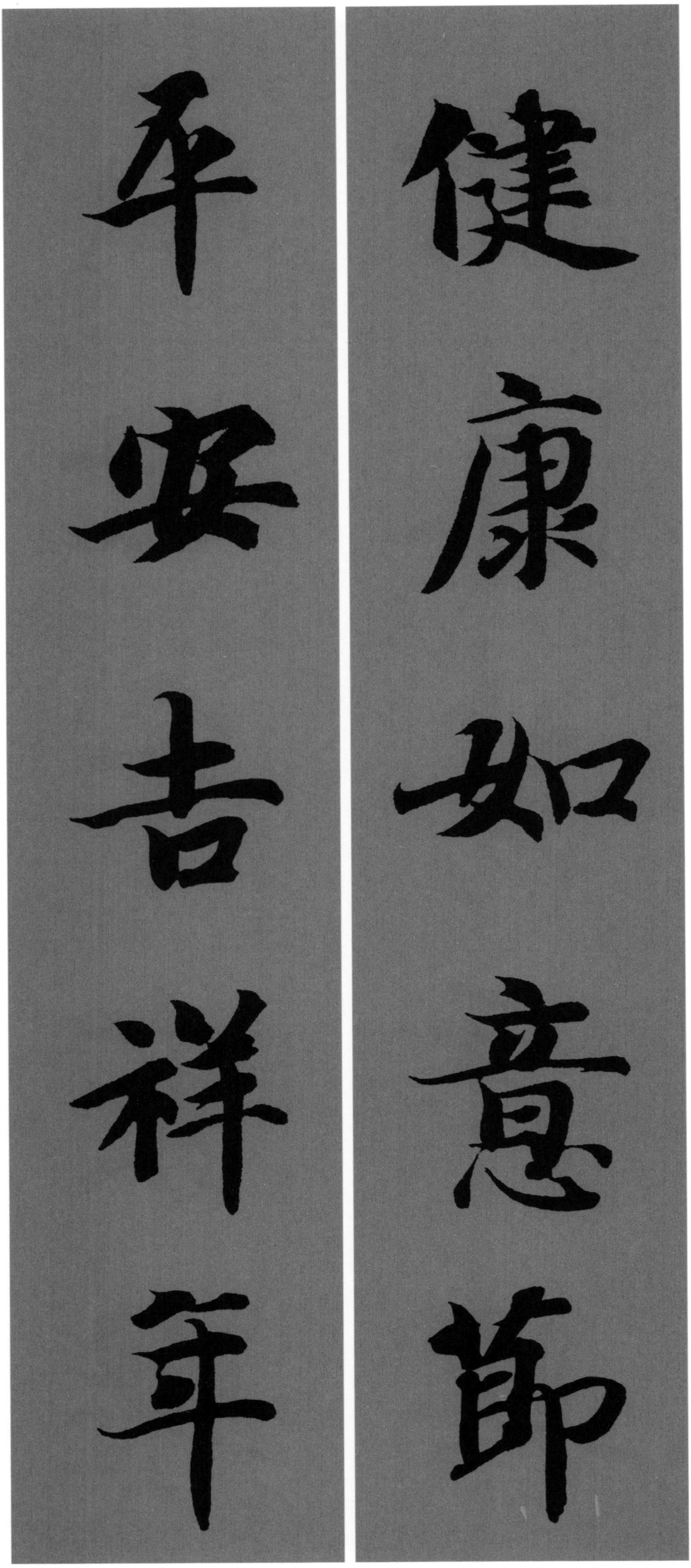

健康如意節

平安吉祥年

上联｜健康如意节
下联｜平安吉祥年

上联 一 人间春尽染
下联 一 天下乐相容

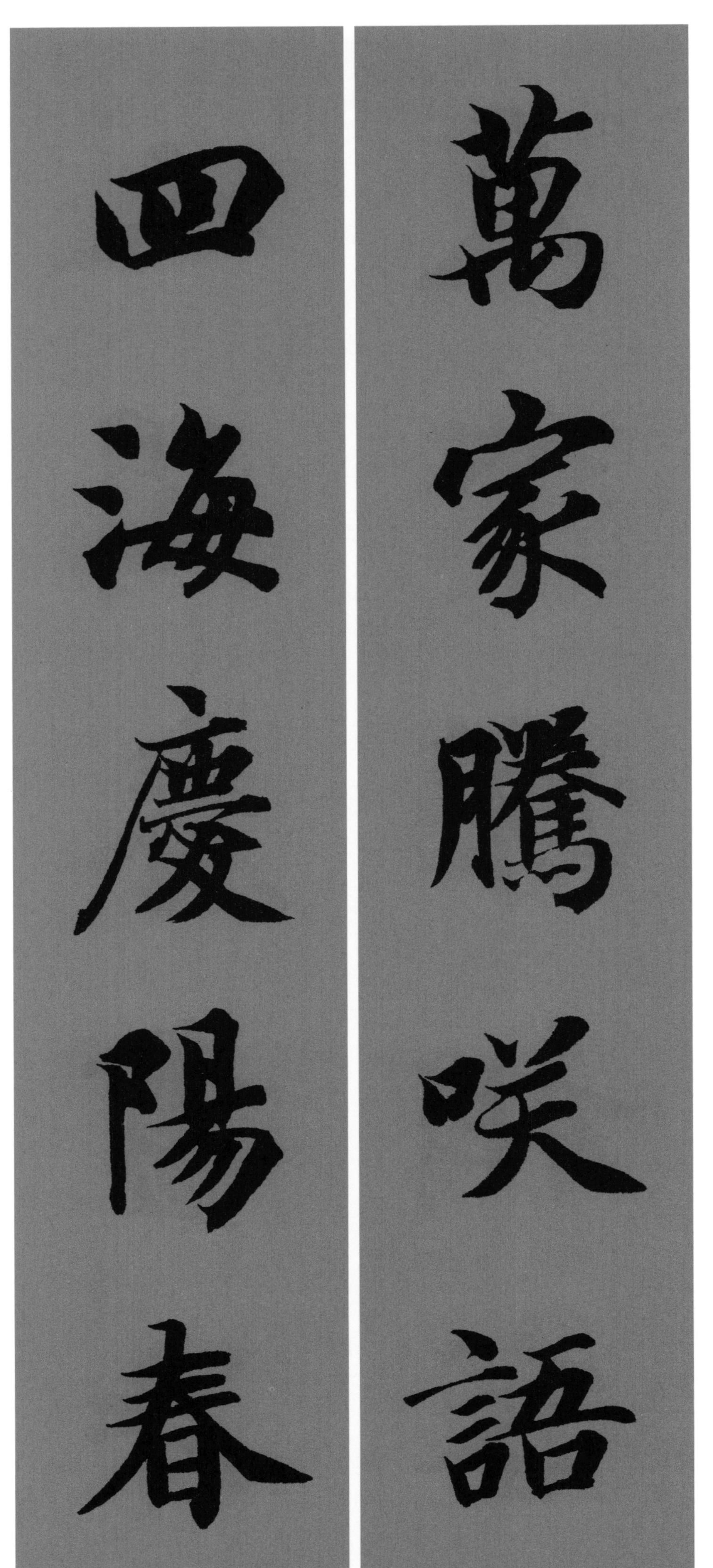

上联—万家腾笑语
下联—四海庆阳春

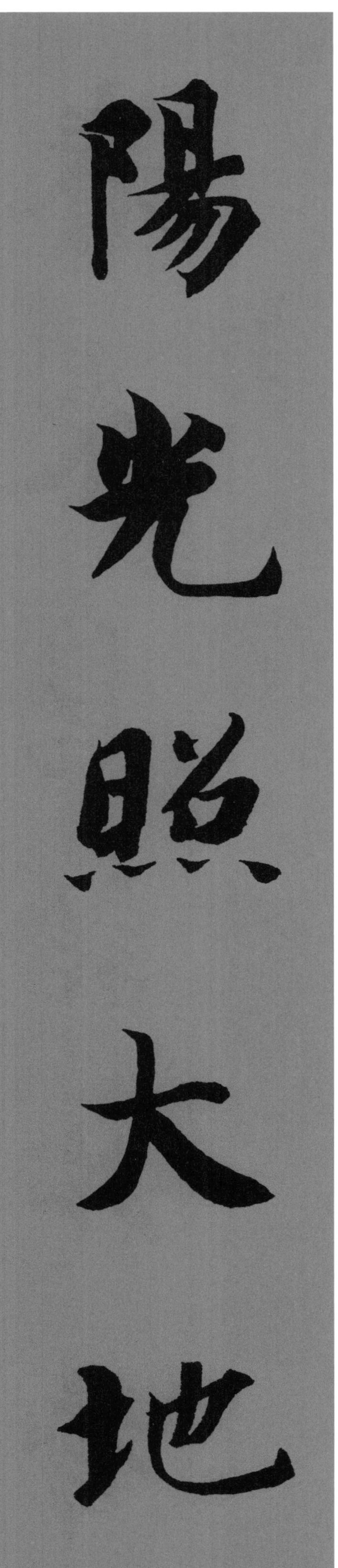

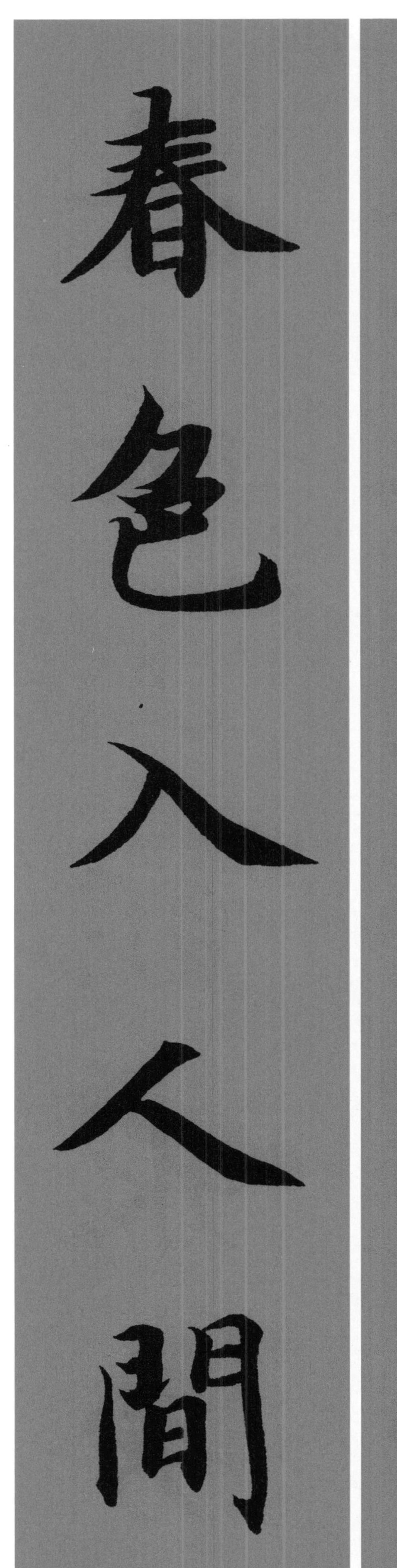

上联：阳光照大地
下联：春色入人间

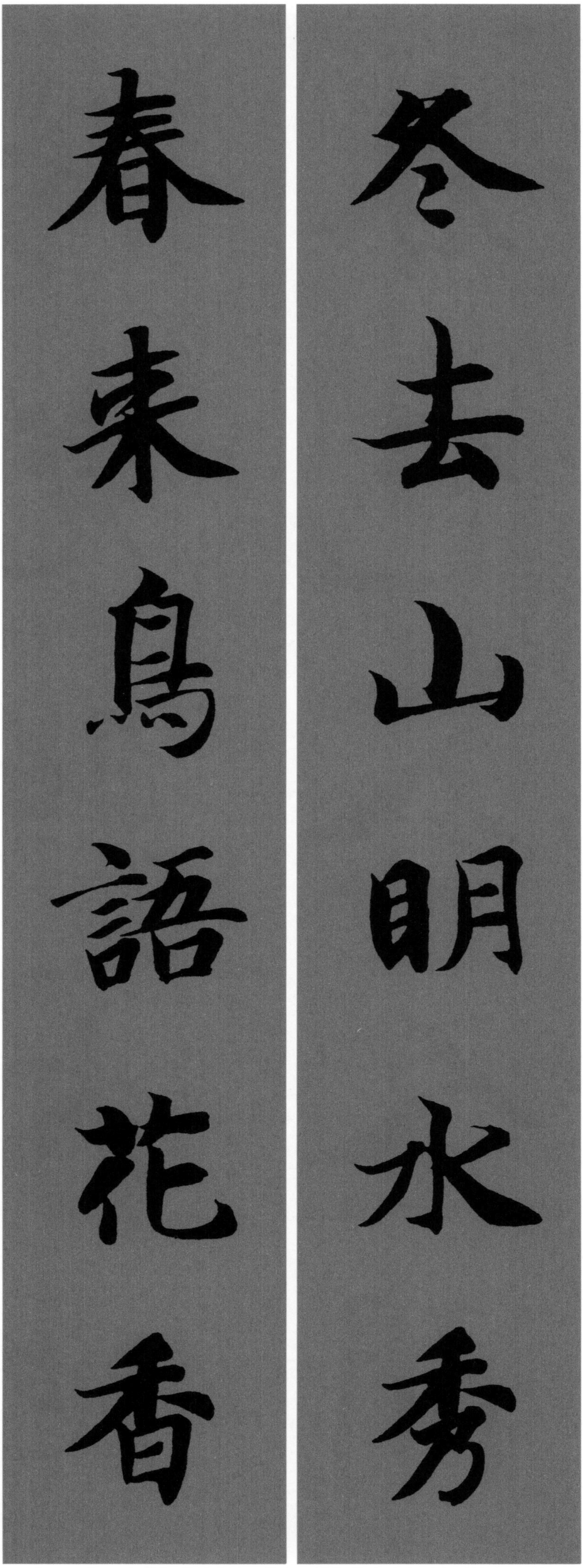

冬去山明水秀

春来鳥語花香

上联 冬去山明水秀
下联 春来鸟语花香

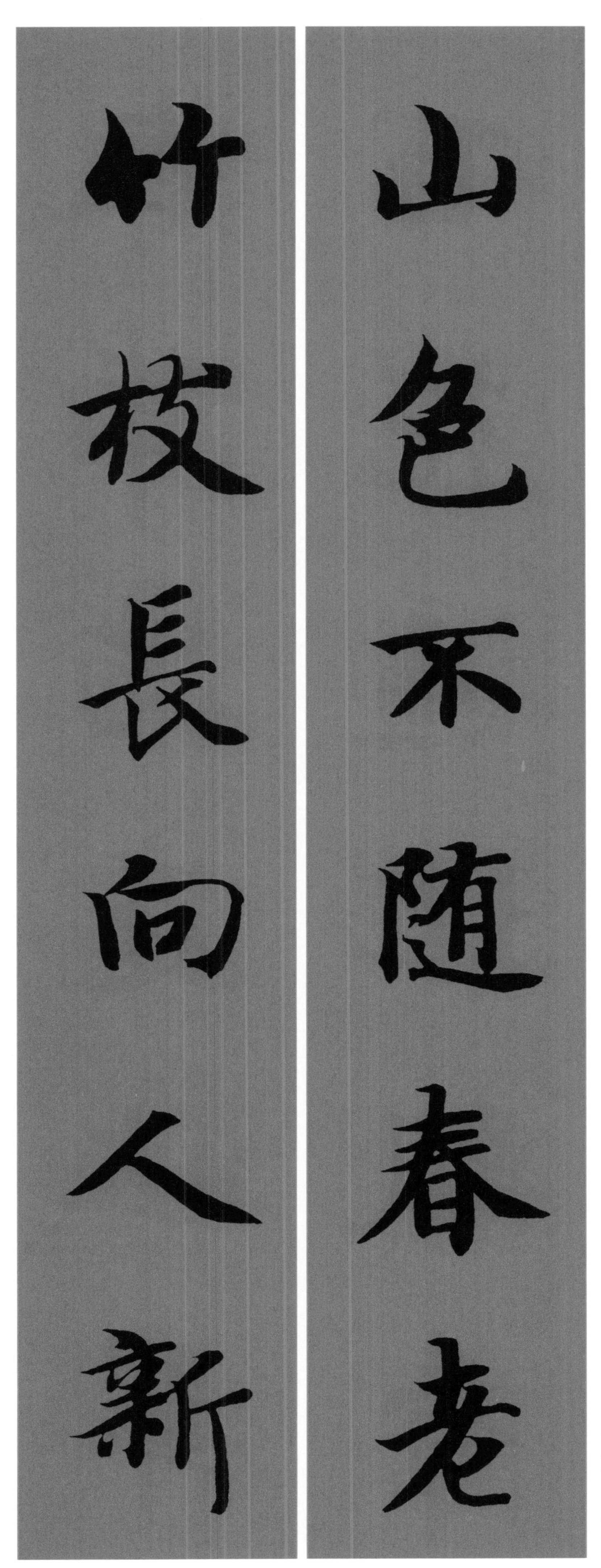

上联一 山色不随春老
下联一 竹枝长向人新

春草满庭吐翠

百花遍地飘香

上联—春草满庭吐翠
下联—百花遍地飘香

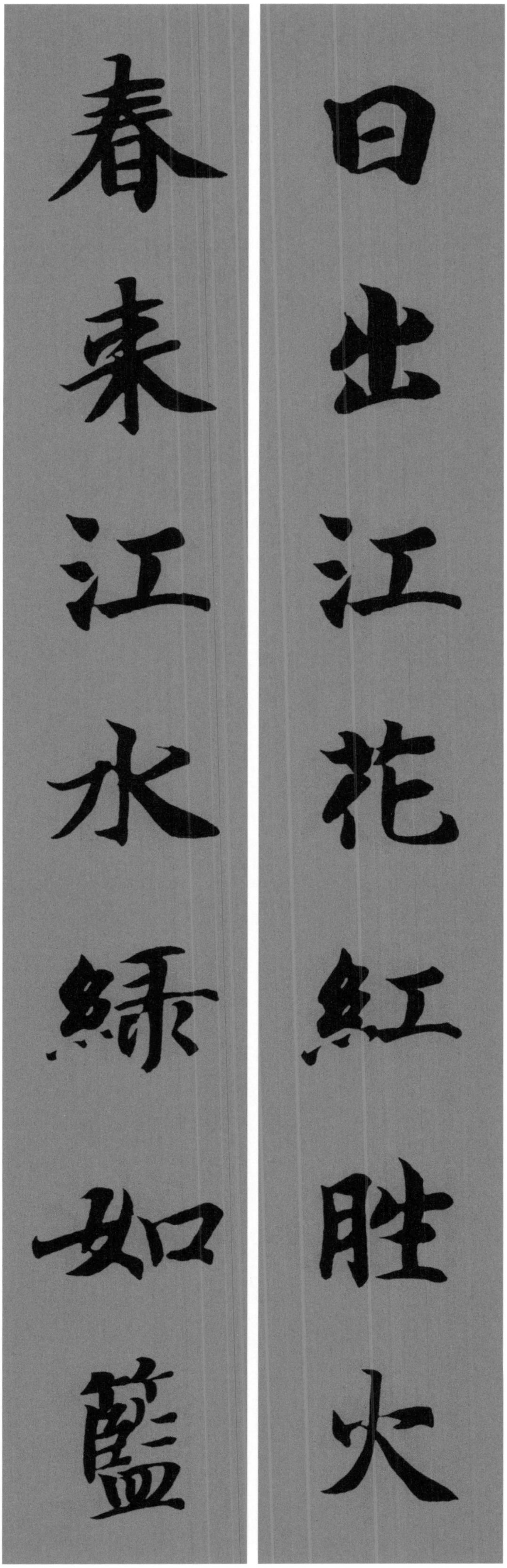

日出江花紅胜火

春来江水緑如藍

上联 一 日出江花红胜火
下联 一 春来江水绿如蓝

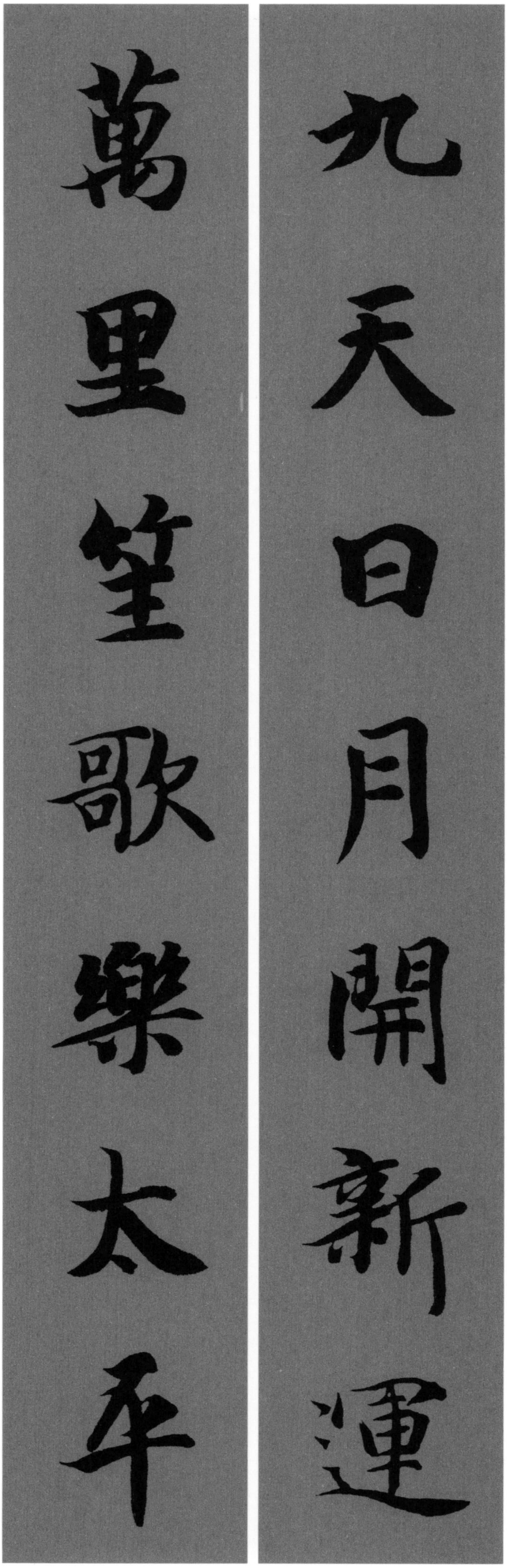

九天日月開新運

萬里笙歌樂太平

上联　九天日月开新运
下联　万里笙歌乐太平

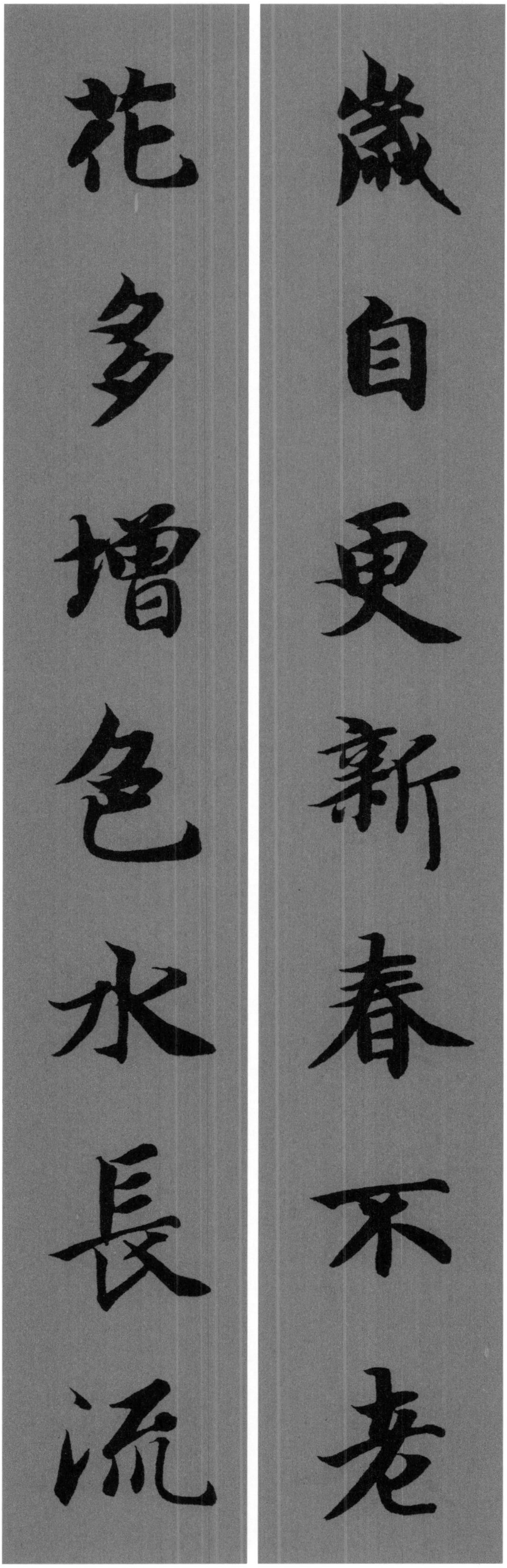

歲自更新春不老

花多增色水長流

上联—岁自更新春不老
下联—花多增色水长流

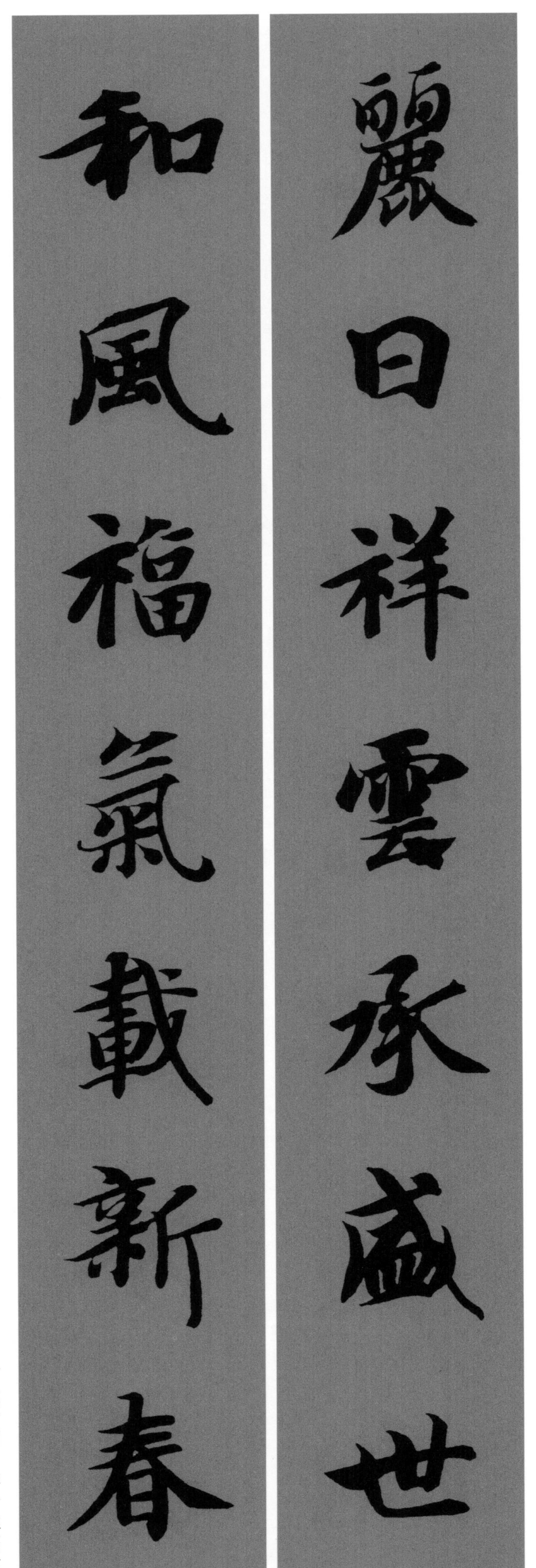

上联：丽日祥云承盛世
下联：和风福气载新春

萬象更新無山不秀

一元復始有水皆清

上联：万象更新无山不秀
下联：一元复始有水皆清

上联　千家迎新岁
下联　万户庆丰年

上联 雪映丰收景
下联 梅传欢庆年

上联　阳春回大地
下联　瑞雪兆丰年

上联　百业兴旺日
下联　五谷丰登时

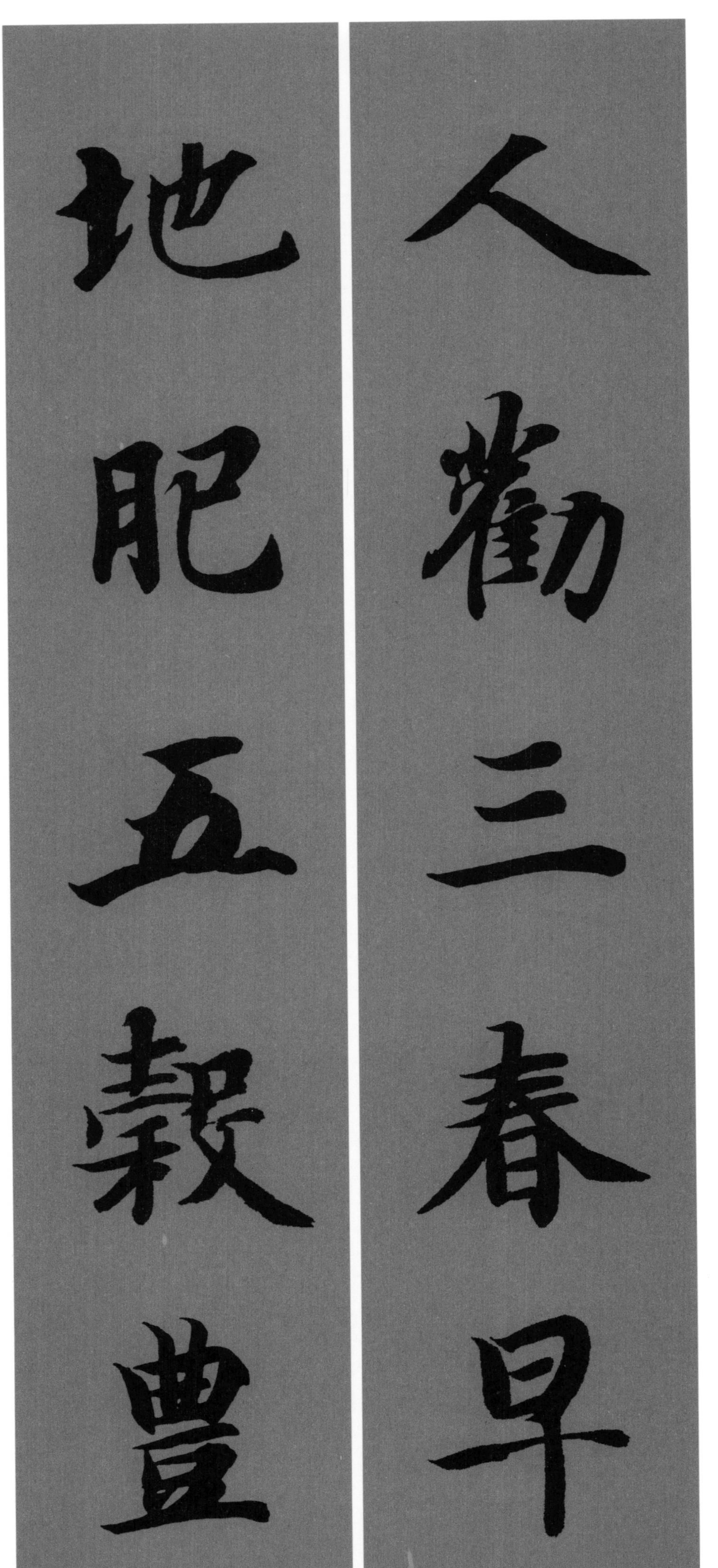

上联 人勤三春早
下联 地肥五谷丰

上联一 迎春接福日
下联一 足食丰衣年

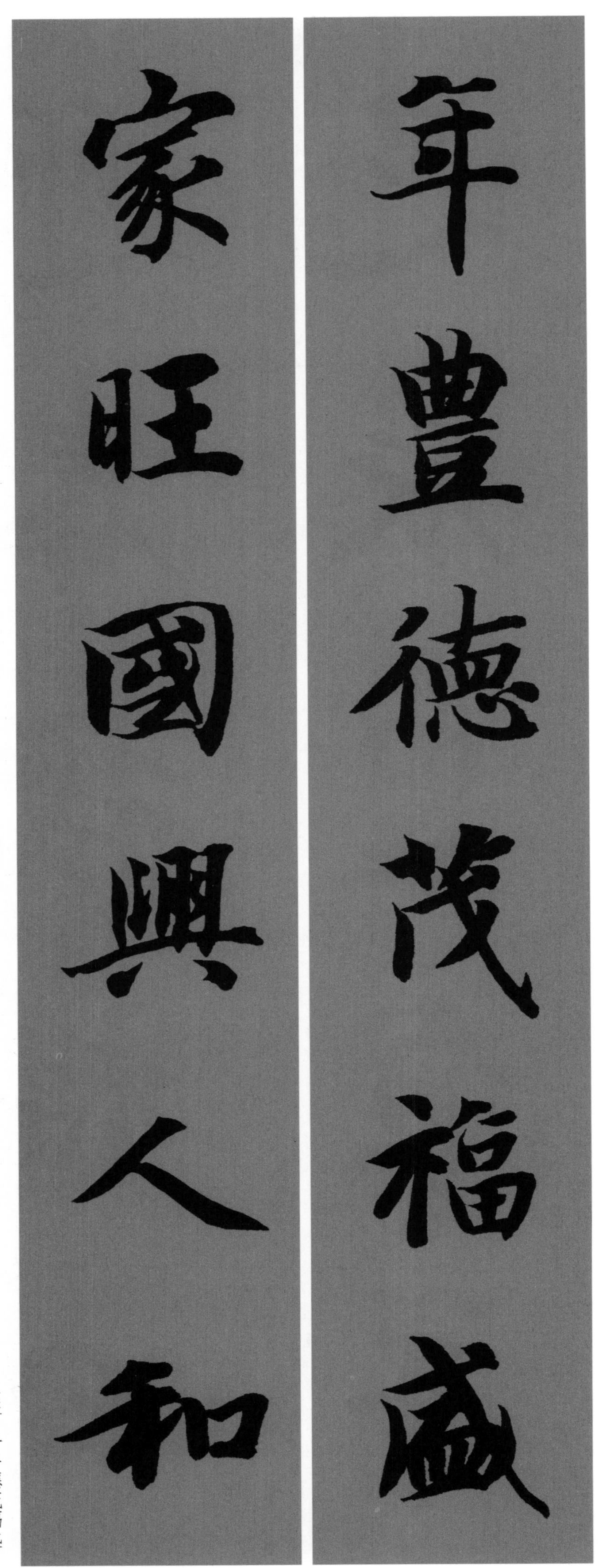

上联一年丰德茂福盛
下联一家旺国兴人和

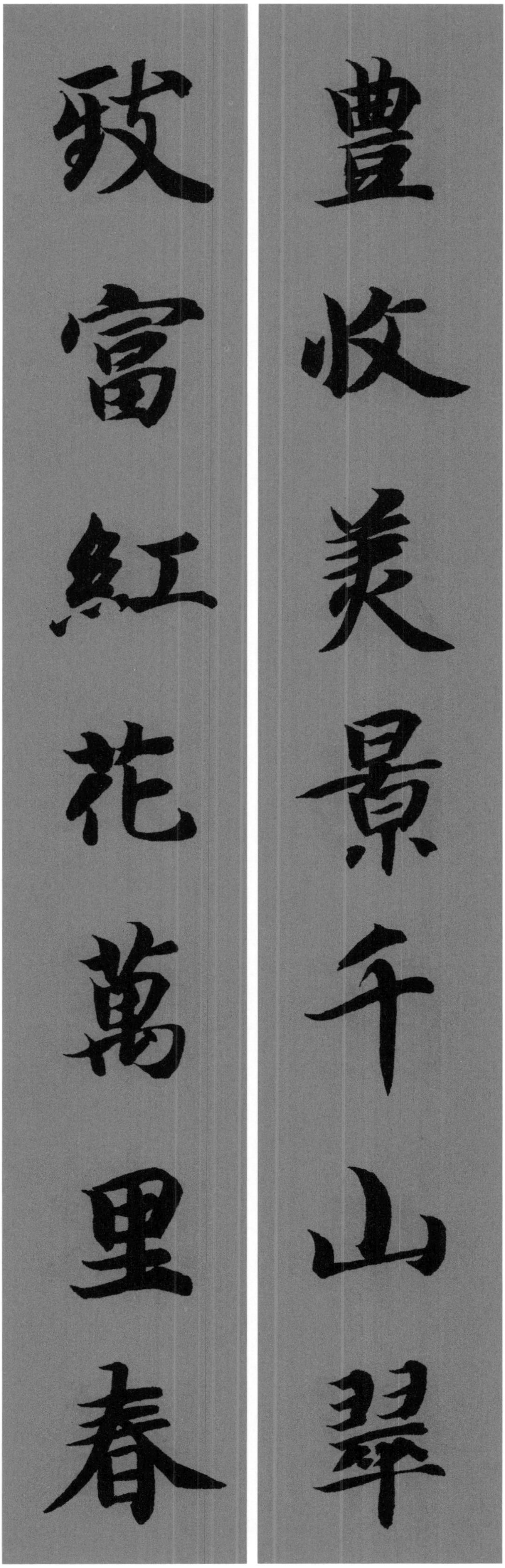

豐收美景千山翠

致富紅花萬里春

上联 丰收美景千山翠
下联 致富红花万里春

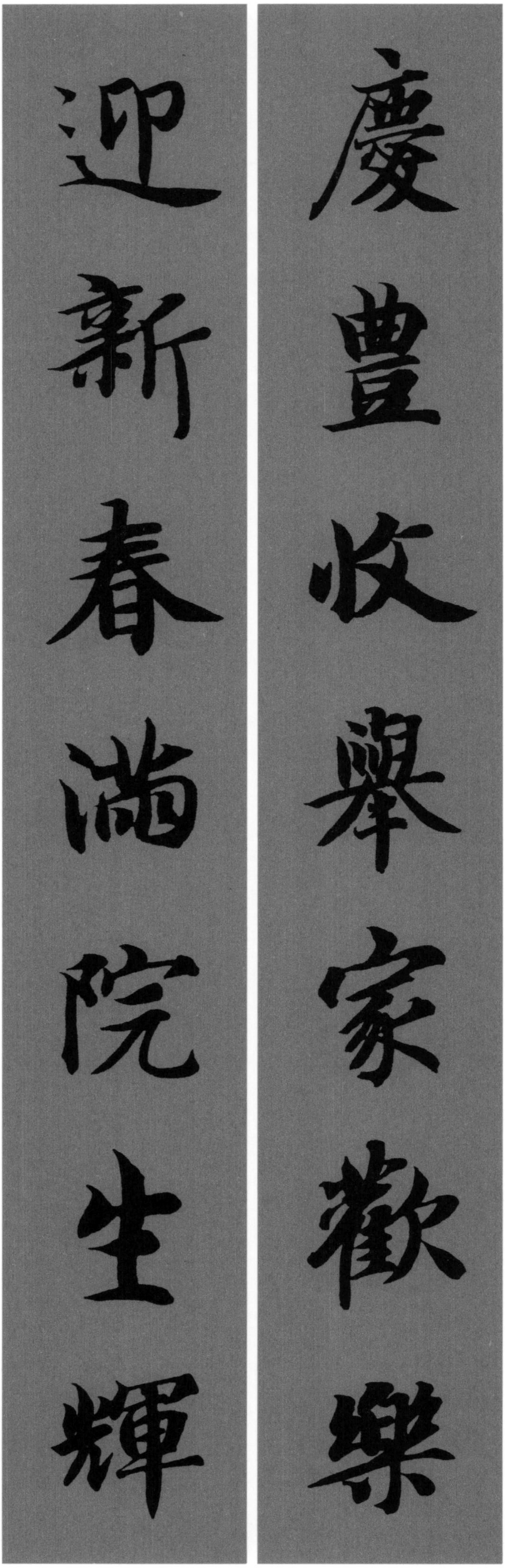

慶豐收舉家歡樂

迎新春滿院生輝

上联—庆丰收举家欢乐
下联—迎新春满院生辉

上联 一 勤俭千载富
下联 一 和睦一家春

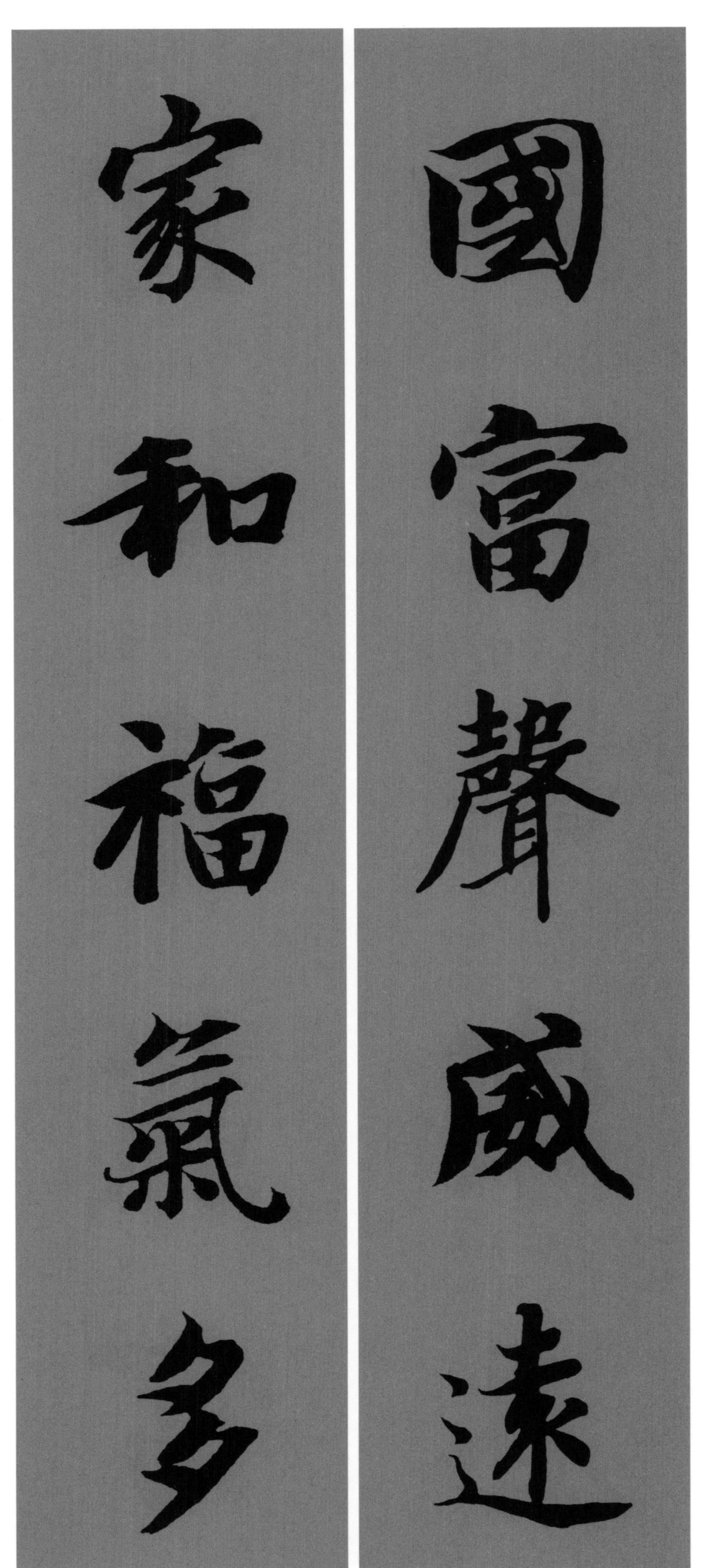

上联：国富声威远
下联：家和福气多

上联— 春在江山里
下联— 人居幸福中

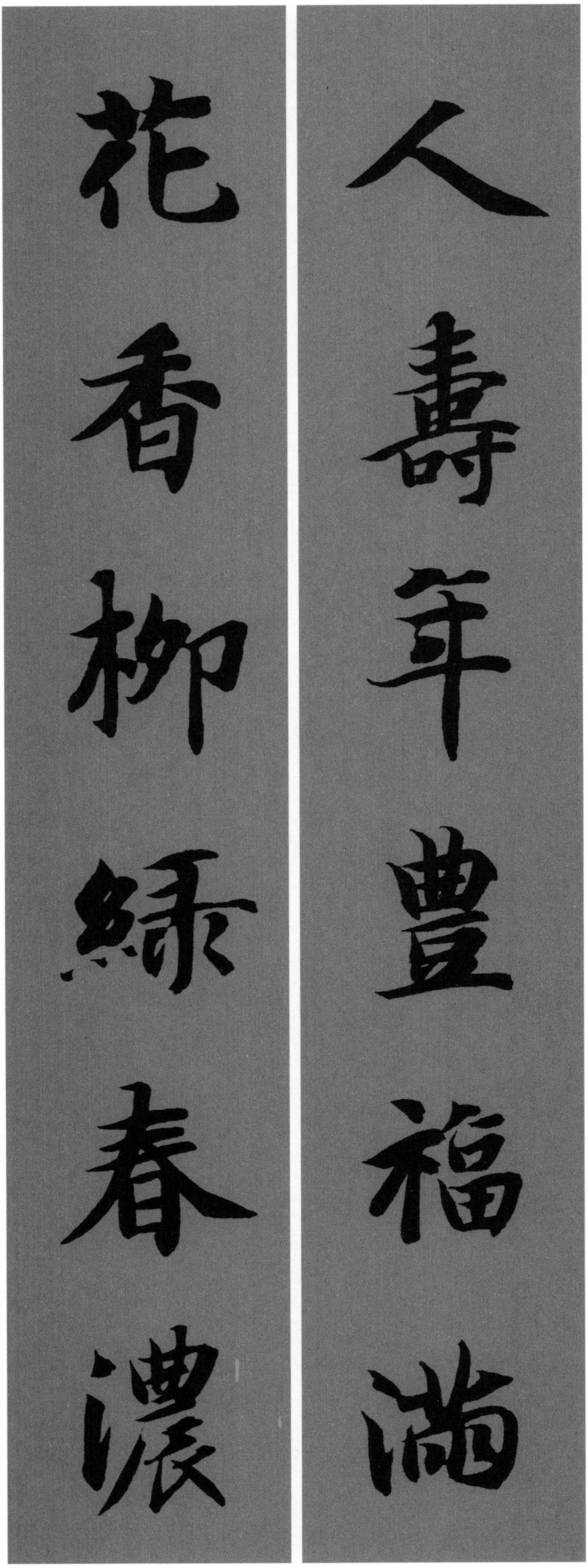

人壽年豐福滿

花香柳緑春濃

上联—人寿年丰福满

下联—花香柳绿春浓

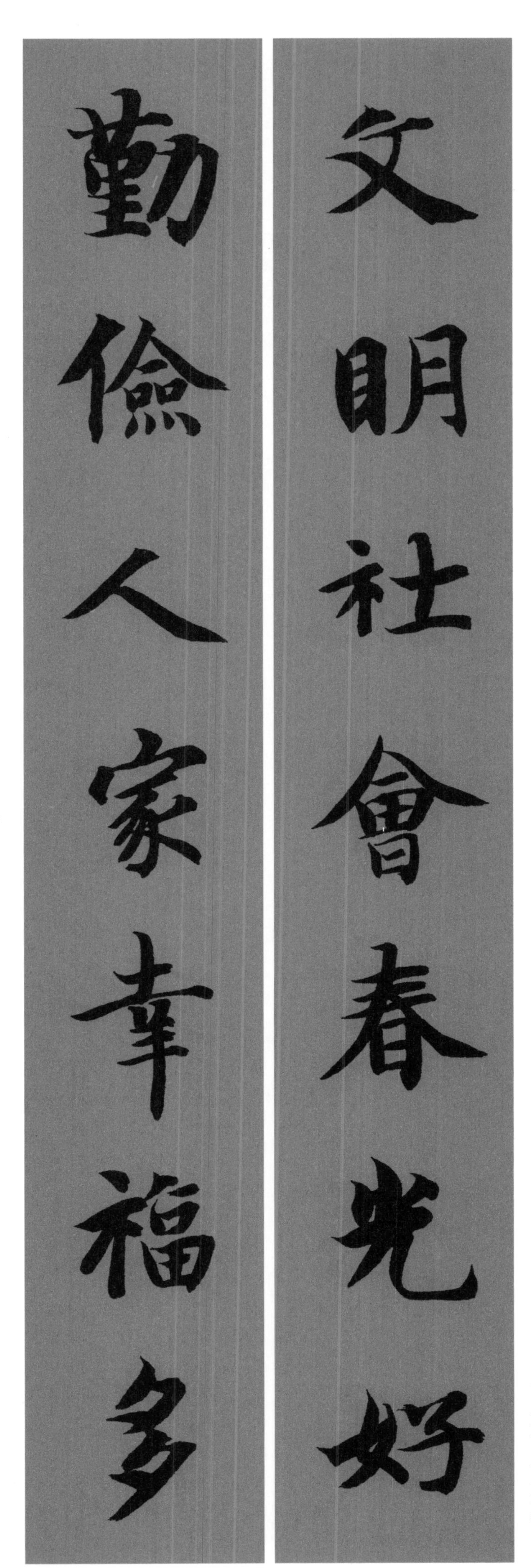

上联 — 文明社会春光好
下联 — 勤俭人家幸福多

木榮花綻新春色

子孝孫賢美德風

上联—木荣花绽新春色
下联—子孝孙贤美德风

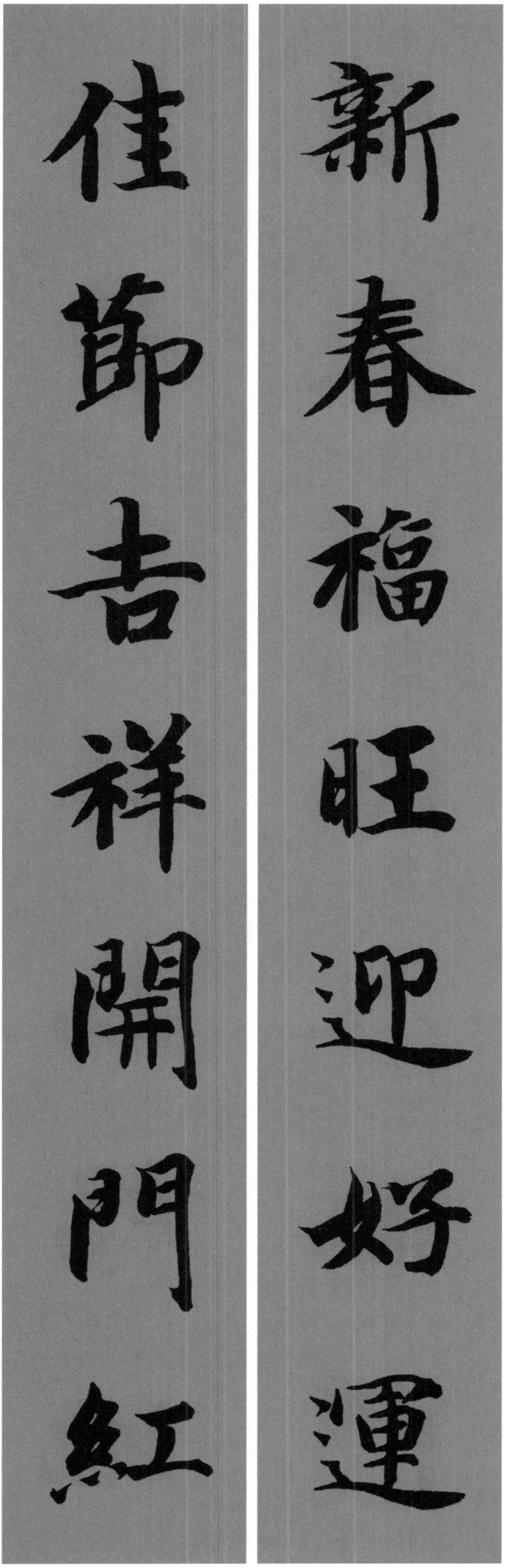

新春福旺迎好運

佳節吉祥開門紅

上联一新春福旺迎好运

下联一佳节吉祥开门红

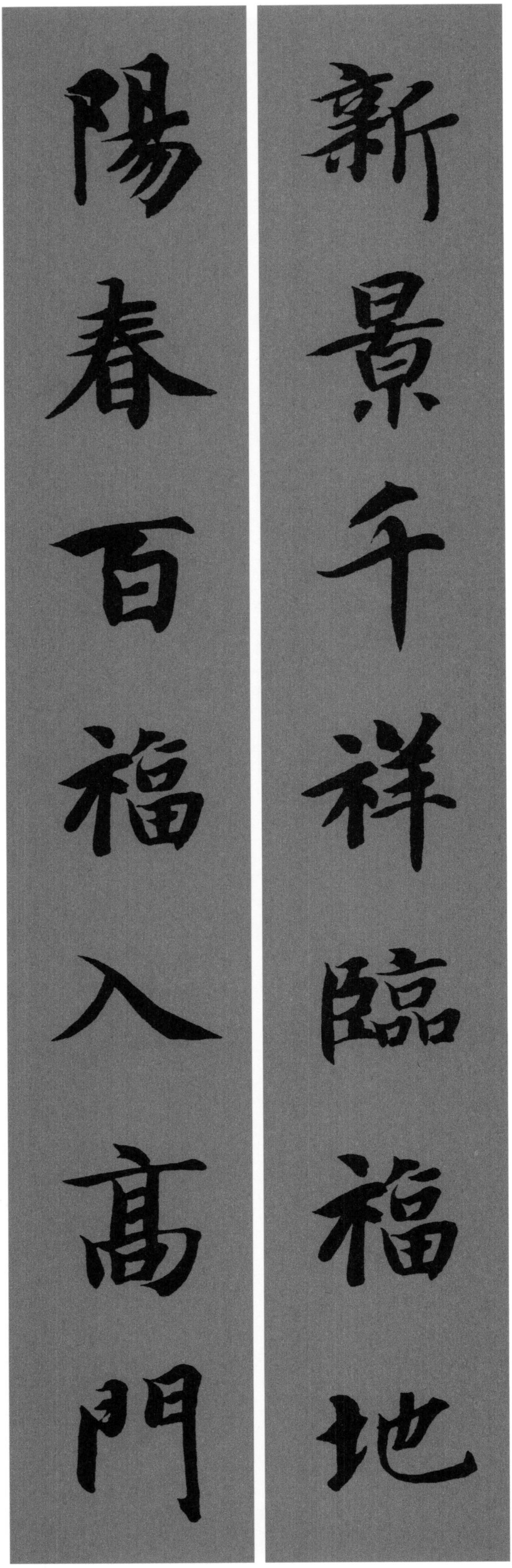

新景千祥臨福地

陽春百福入高門

上联一新景千祥临福地
下联一阳春百福入高门

山高水遠長春景

花好月圓幸福家

上联— 山高水远长春景

下联— 花好月圆幸福家

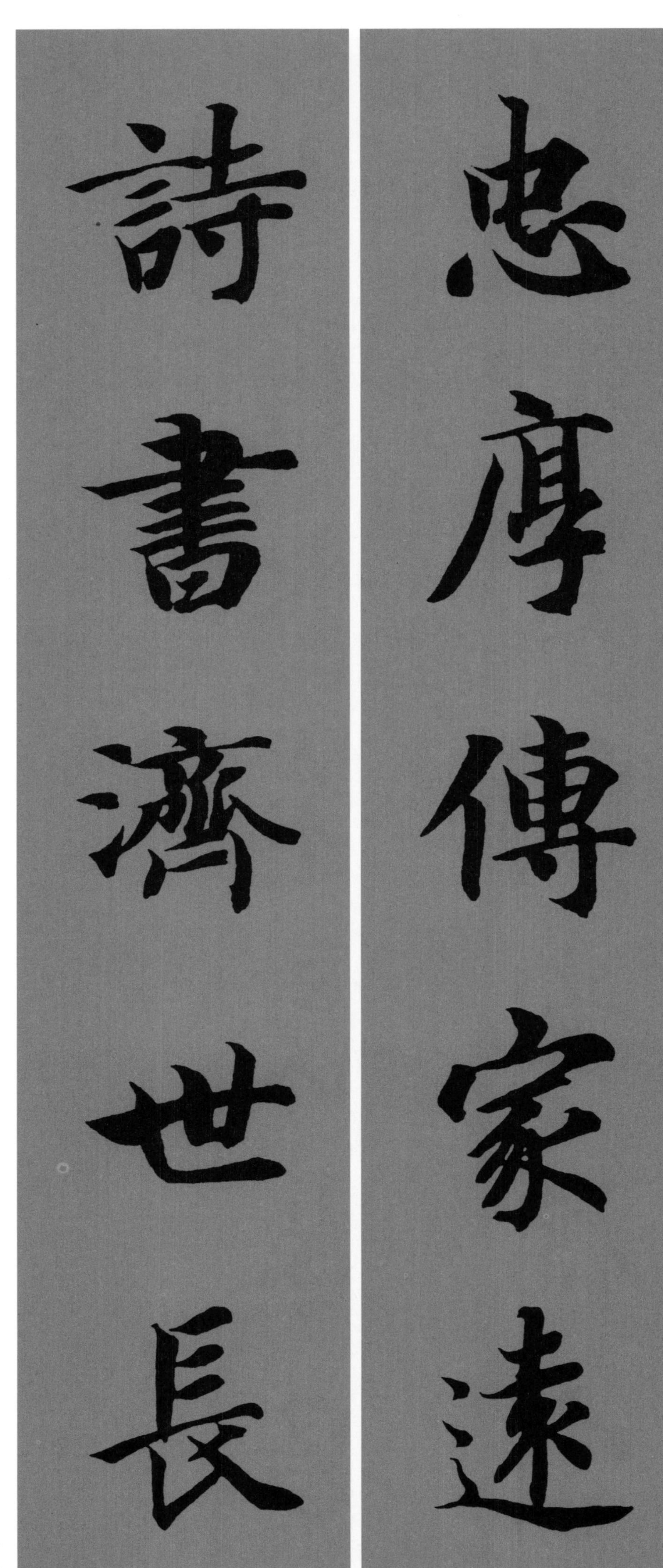

上联 忠厚传家远
下联 诗书济世长

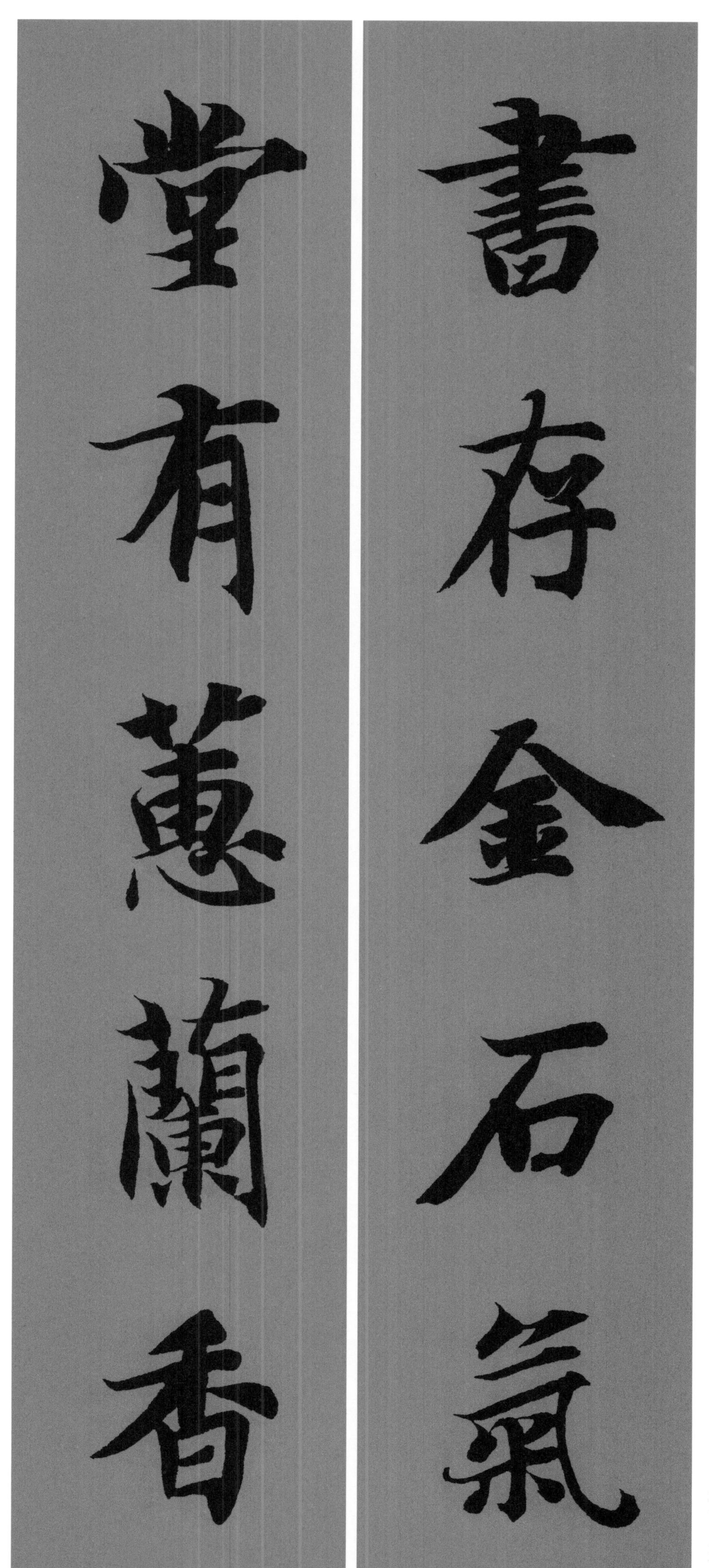

上联 一 书存金石气
下联 一 堂有蕙兰香

上联：修业勤为贵
下联：行文意必高

上联：山川生瑞气
下联：笔墨绘祥光

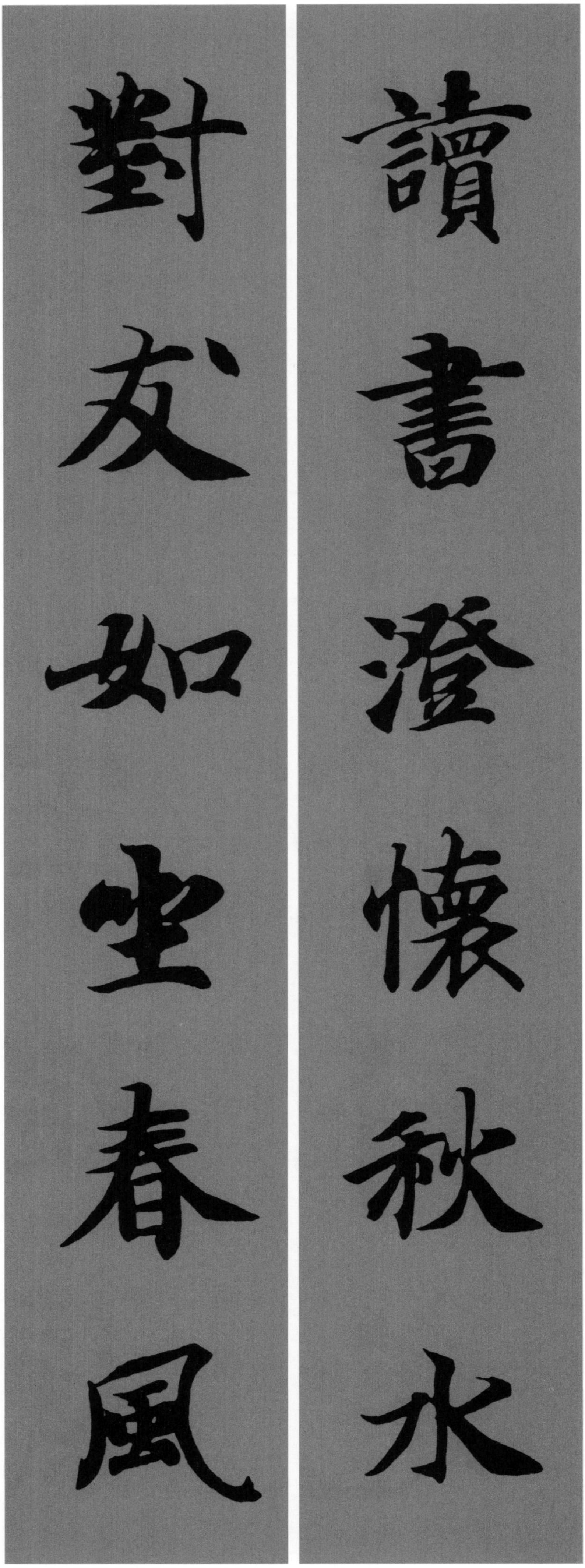

讀書澄懷秋水

對友如坐春風

上联—读书澄怀秋水
下联—对友如坐春风

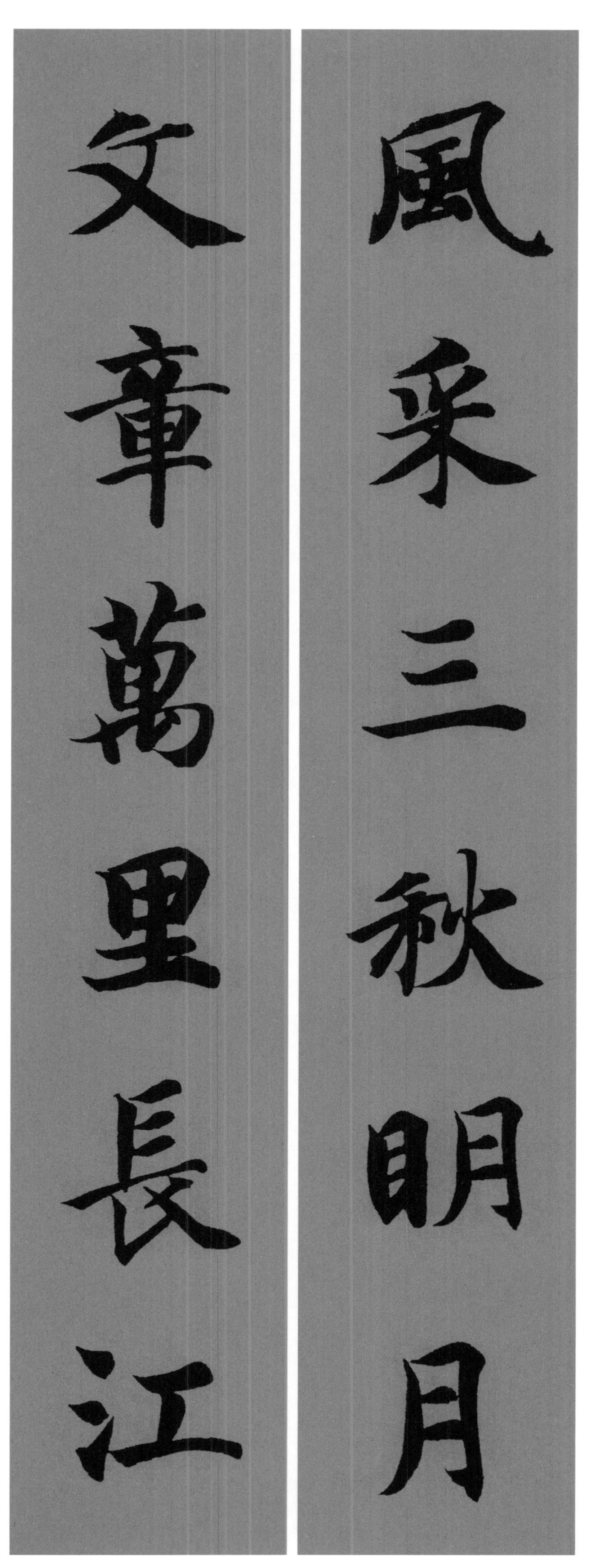

上联 一 风采三秋明月
下联 一 文章万里长江

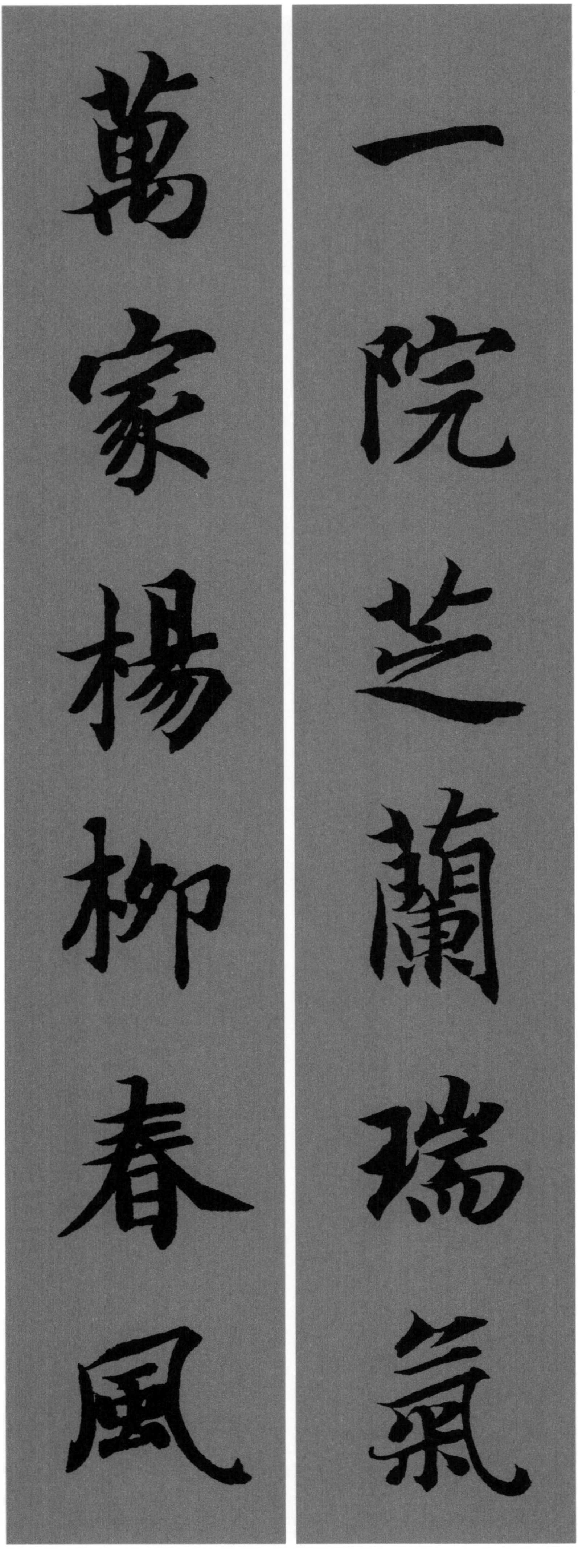

一院芝蘭瑞氣

萬家楊柳春風

上联　一院芝兰瑞气
下联　万家杨柳春风

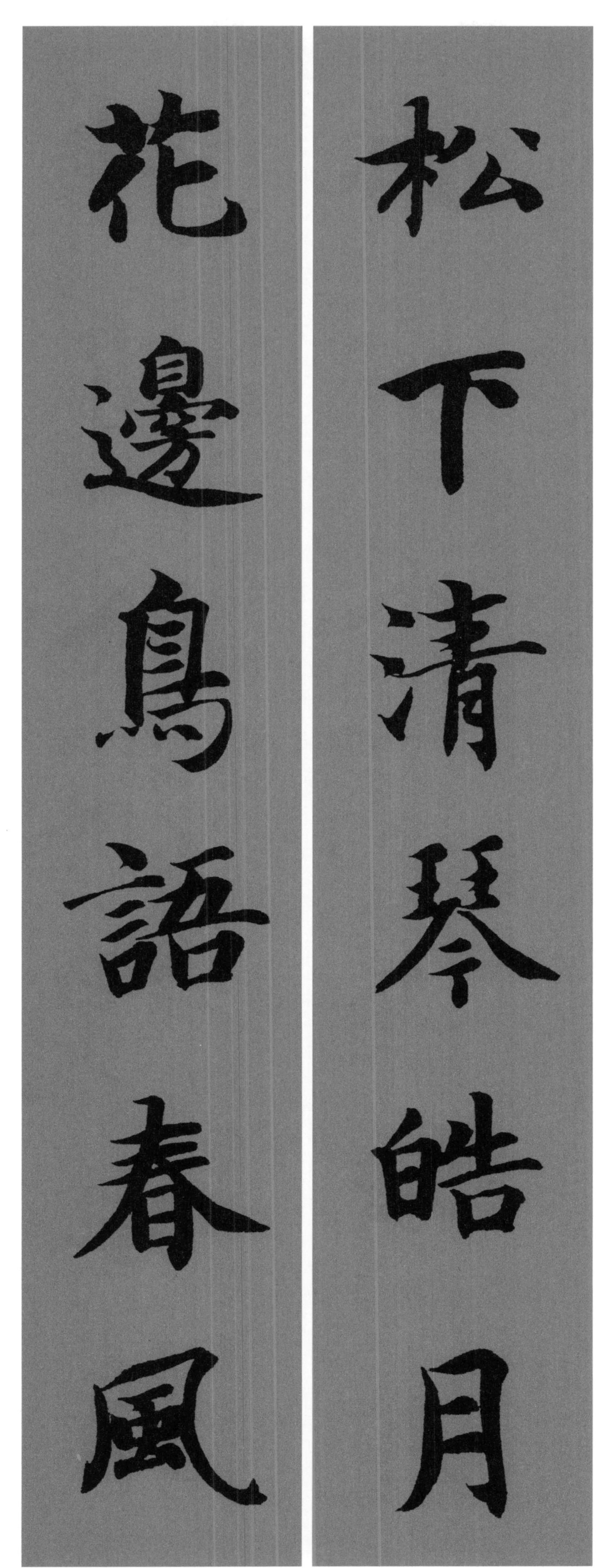

上联一 松下清琴皓月
下联一 花边鸟语春风

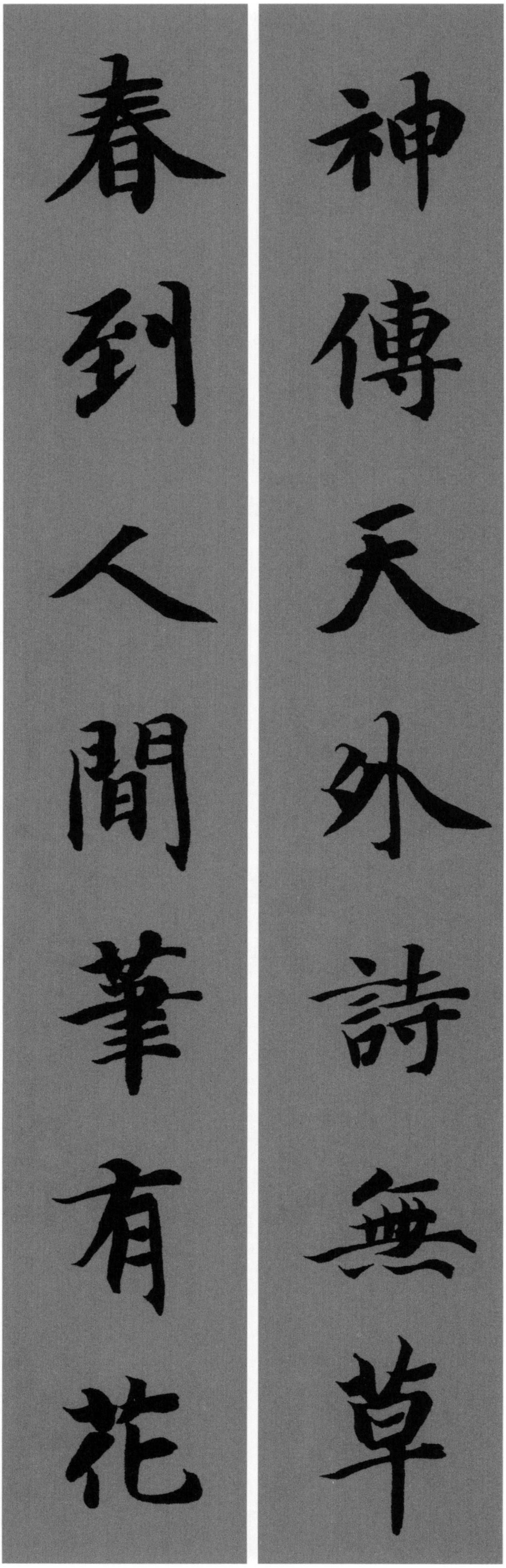

神傳天外詩無草

春到人間筆有花

上联：神传天外诗无草
下联：春到人间笔有花

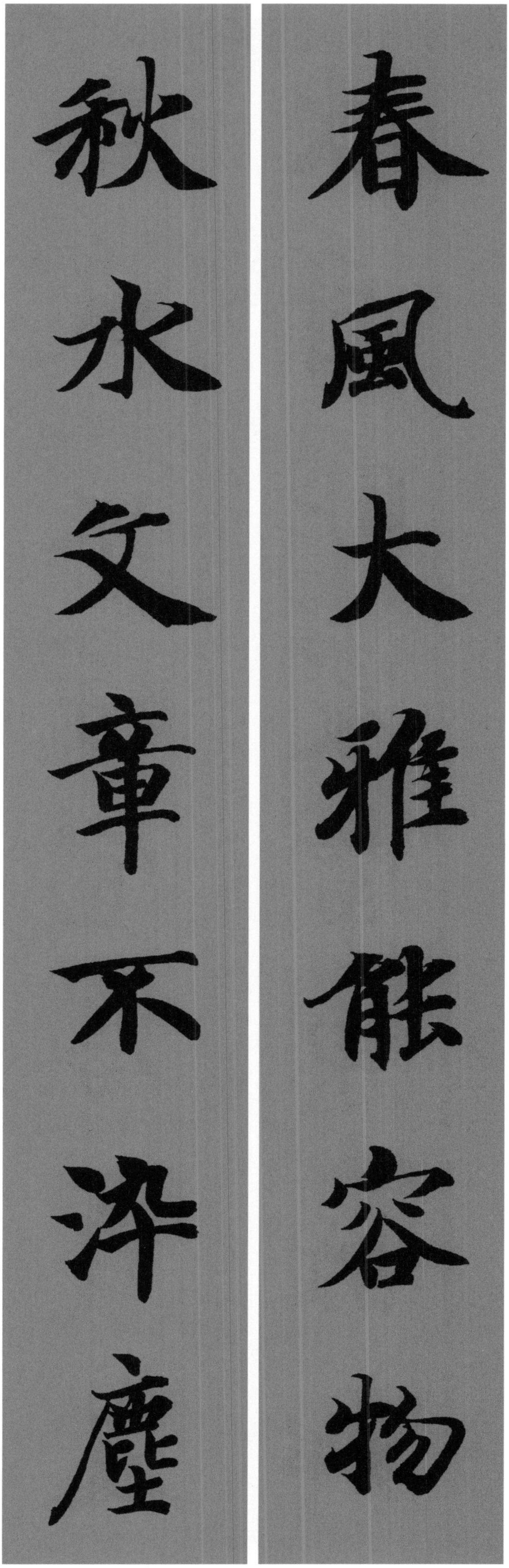

春風大雅能容物

秋水文章不染塵

上联 春风大雅能容物
下联 秋水文章不染尘

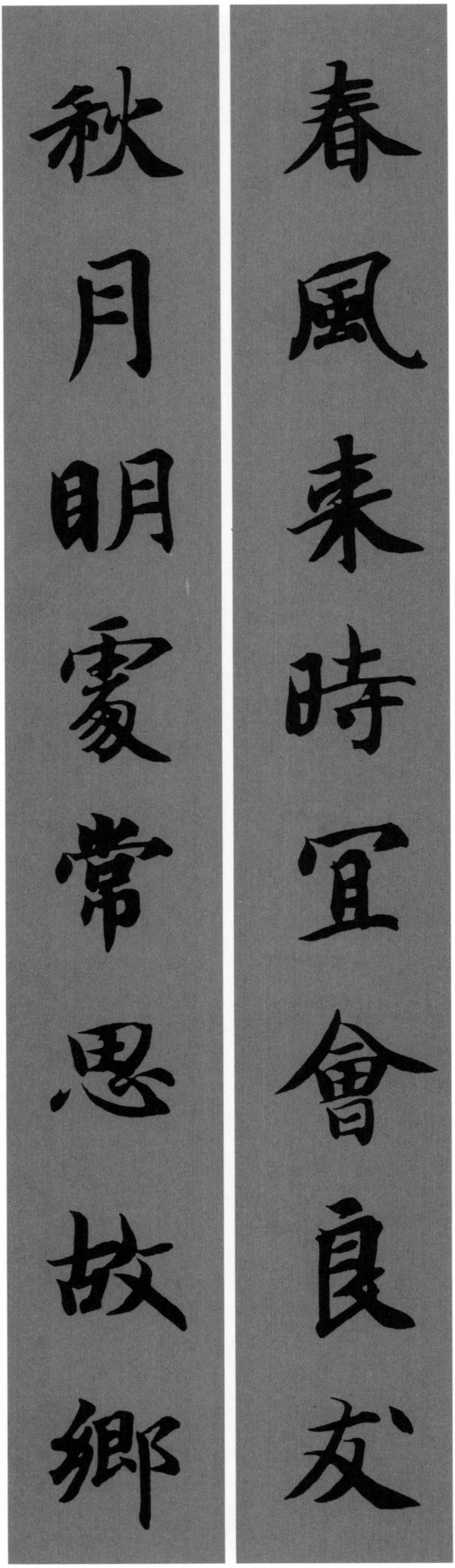

春風來時宜會良友

秋月明處常思故鄉

上联　春风来时宜会良友
下联　秋月明处常思故乡

上联——一代园丁乐
下联——四时桃李荣

生意如春意

新年勝去年

上联—生意如春意
下联—新年胜去年

上联—师指千条路
下联—烛明万里程

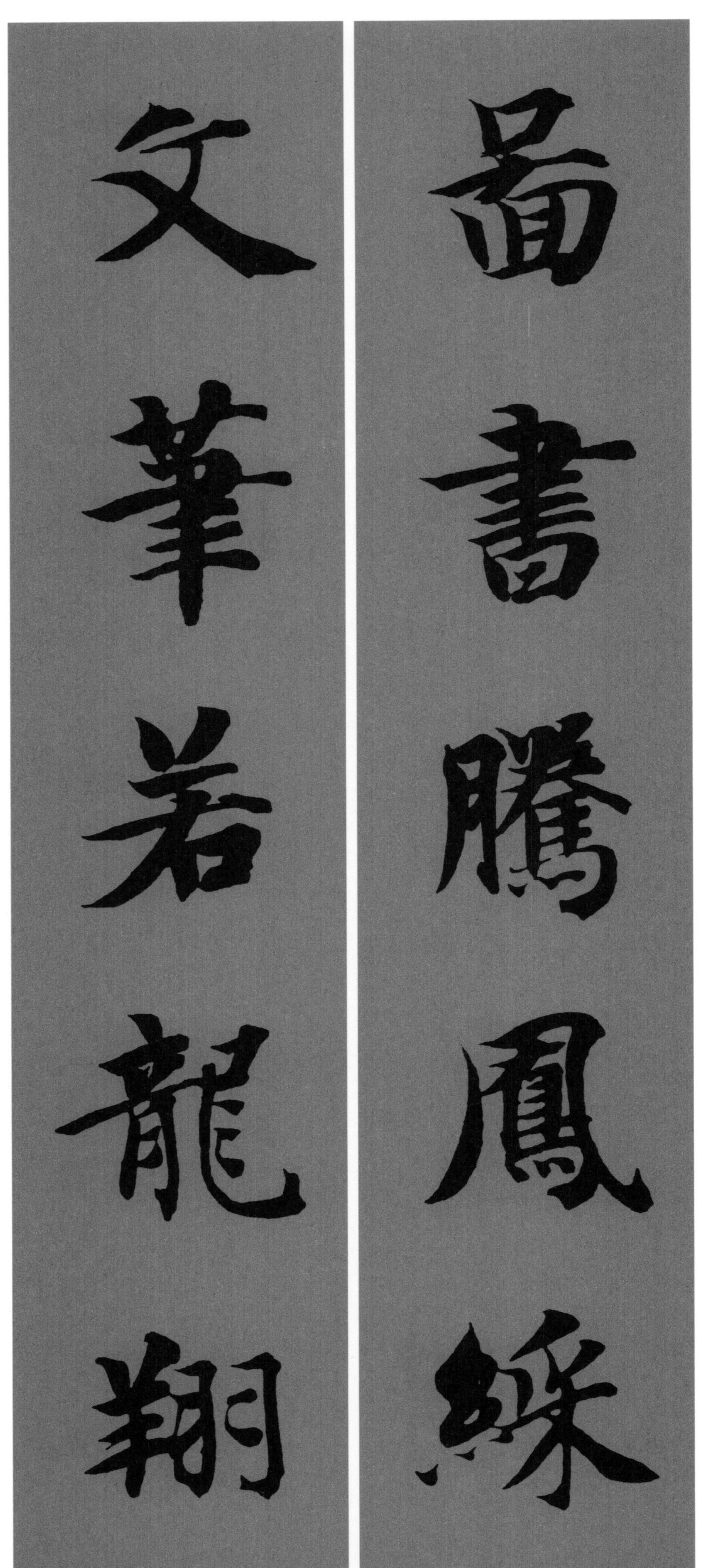

上联｜图书腾凤彩
下联｜文笔若龙翔

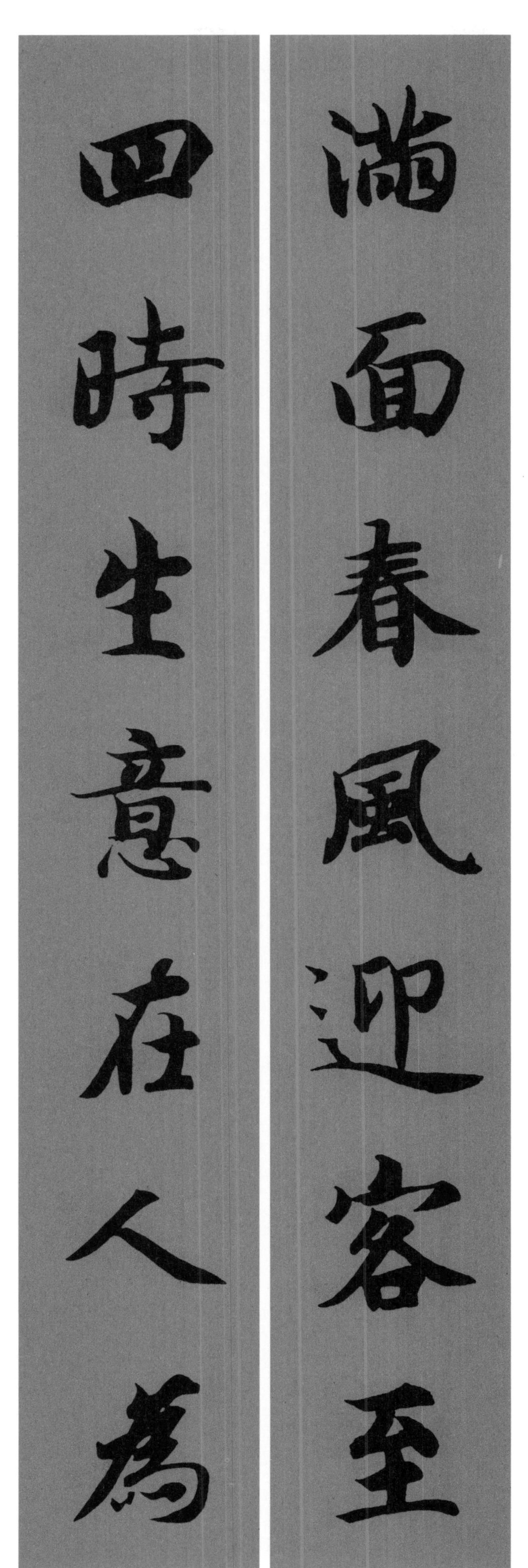

上联—满面春风迎客至
下联—四时生意在人为

满地流金廣財入

新春大吉福運開

上联 满地流金广财入
下联 新春大吉福运开

貴客盈門庭似市

春風入戶月如人

上联— 贵客盈门庭似市
下联— 春风入户月如人

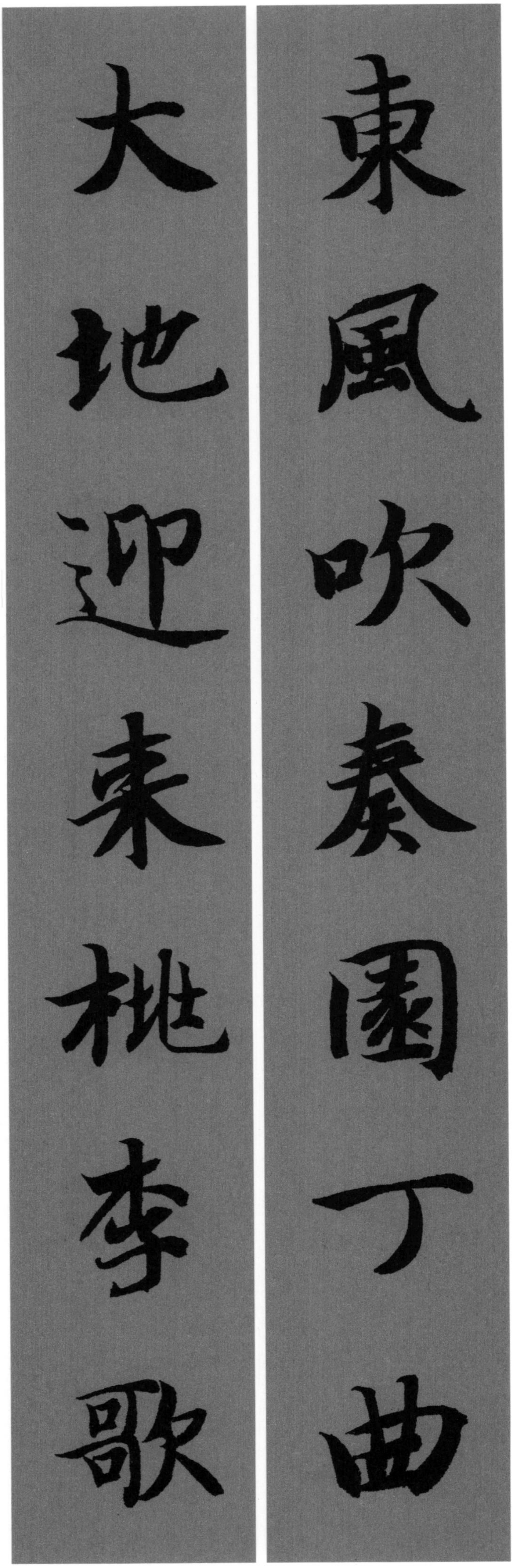

東風吹奏園丁曲

大地迎來桃李歌

上联　东风吹奏园丁曲
下联　大地迎来桃李歌

上联— 江山春不老
下联— 祖国景长新

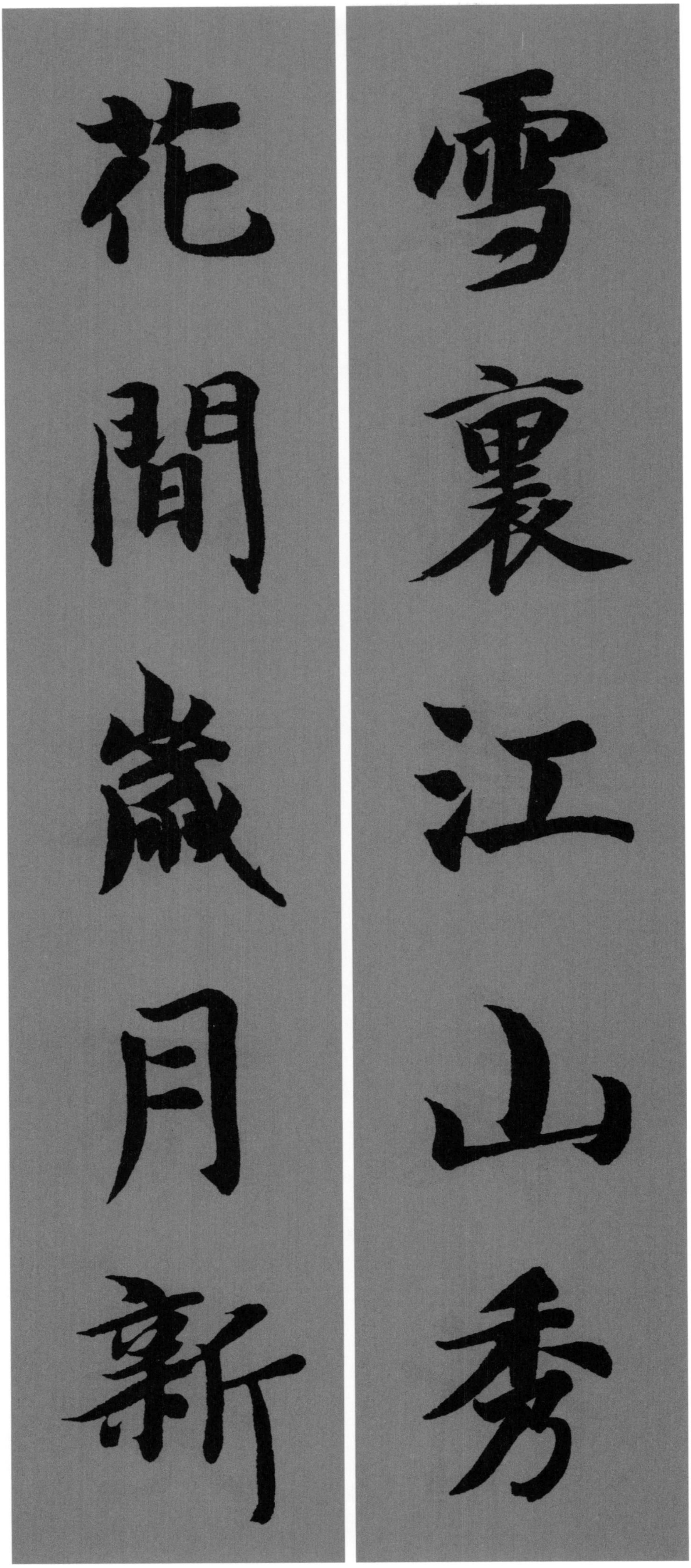

雪裏江山秀

花間歲月新

上联—雪里江山秀
下联—花间岁月新

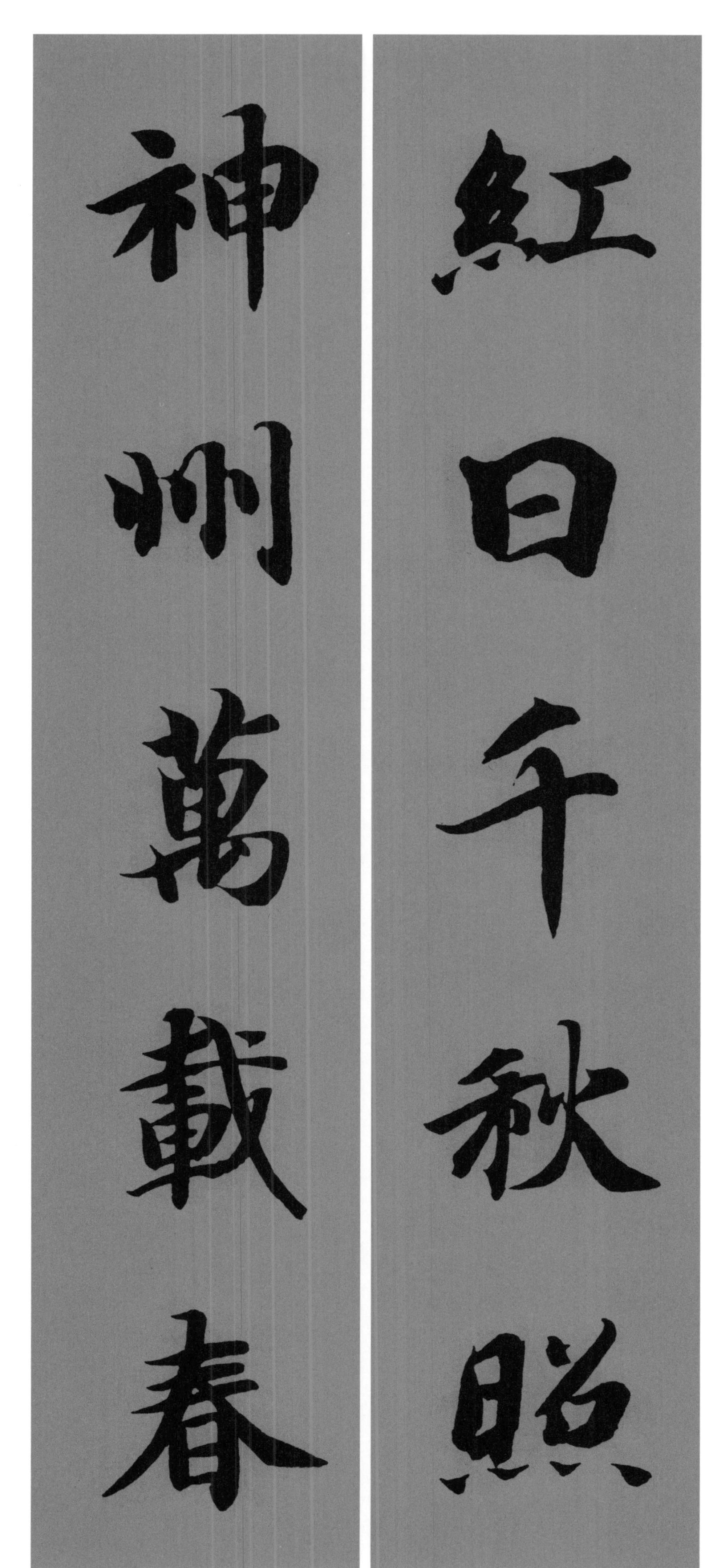

上联一 红日千秋照
下联一 神州万载春

上联—田园图画美
下联—祖国江山娇

上联—神州扬正气
下联—大地荡春风

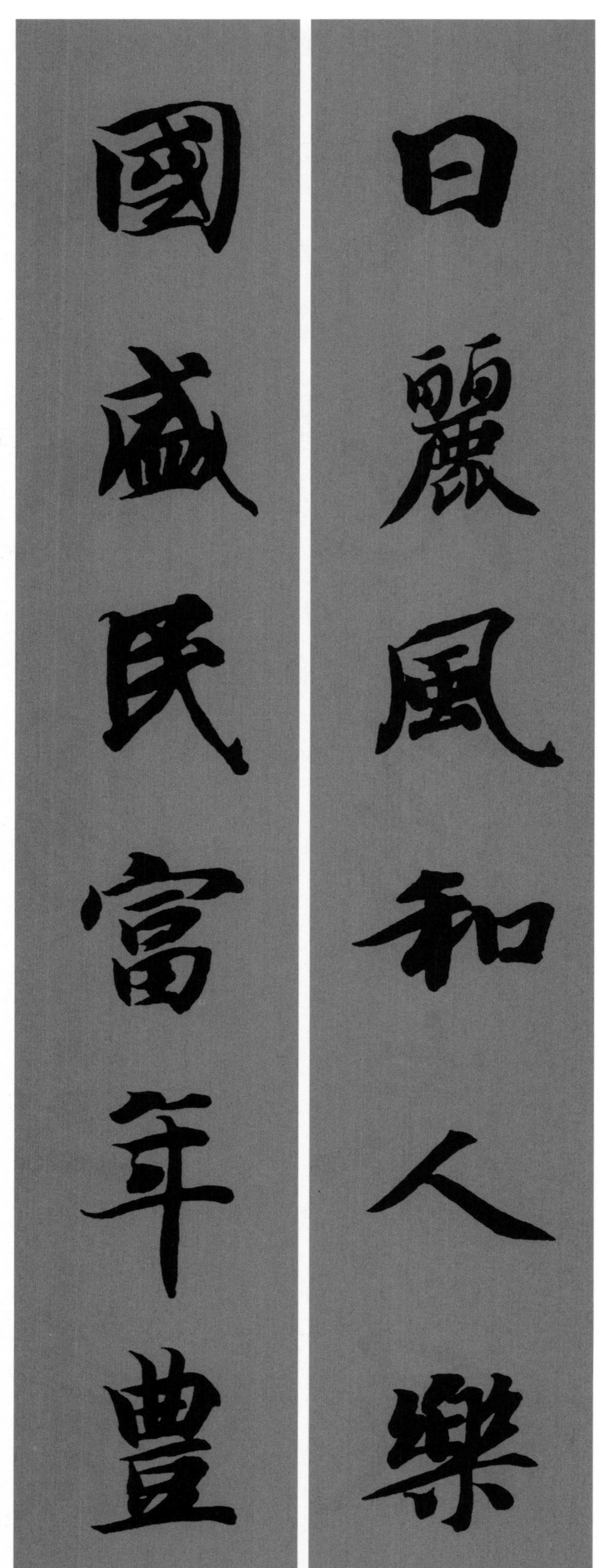

上联 日丽风和人乐
下联 国盛民富年丰

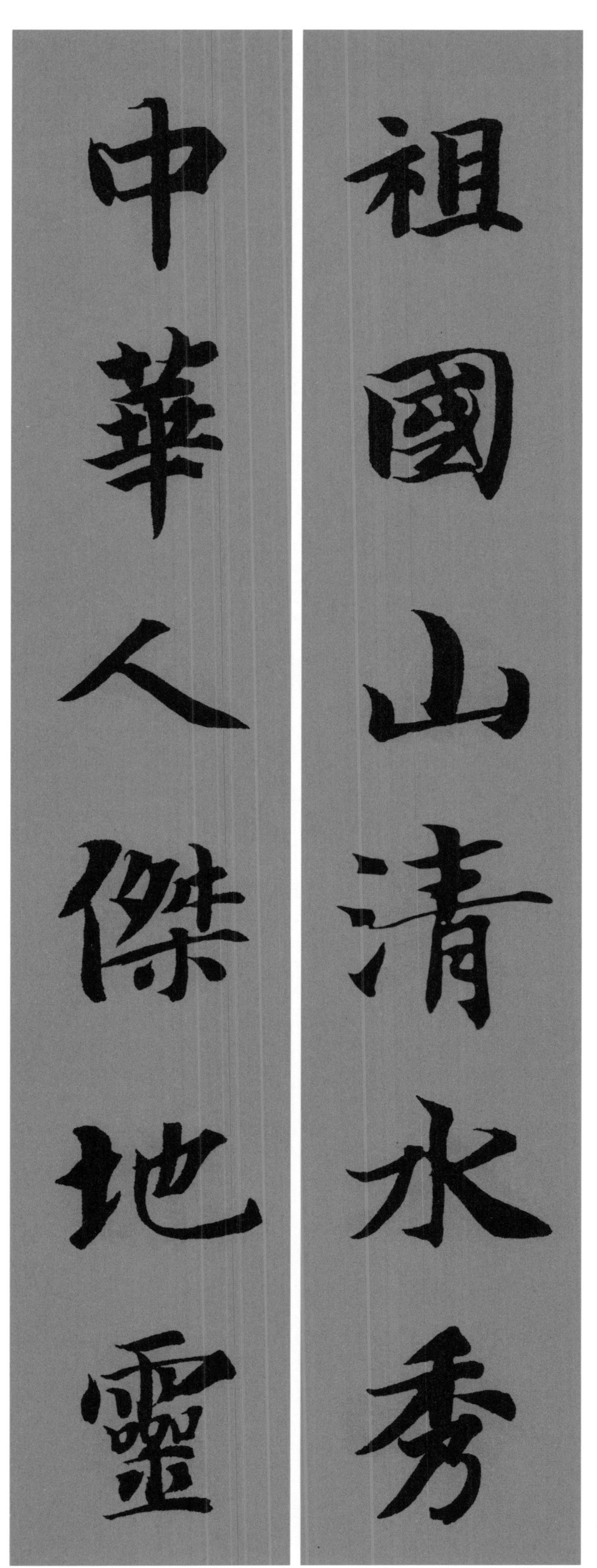

上联—祖国山清水秀
下联—中华人杰地灵

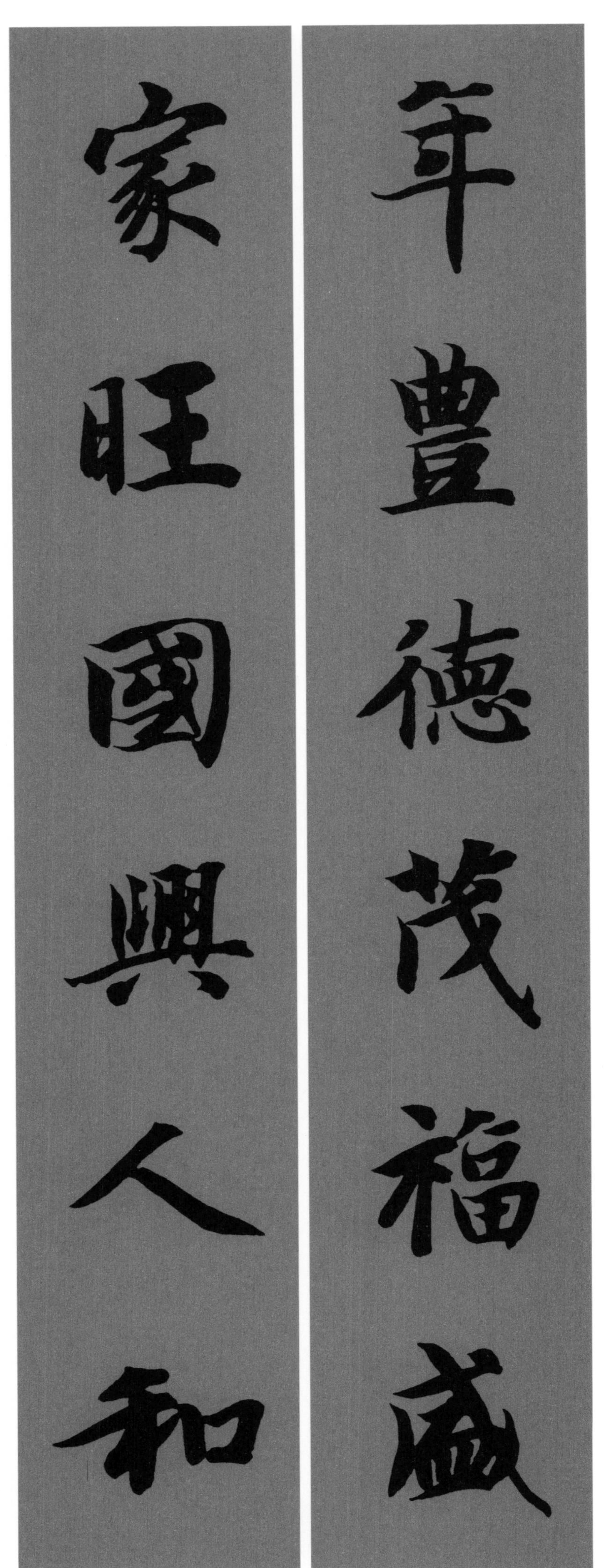

上联—年丰德茂福盛
下联—家旺国兴人和

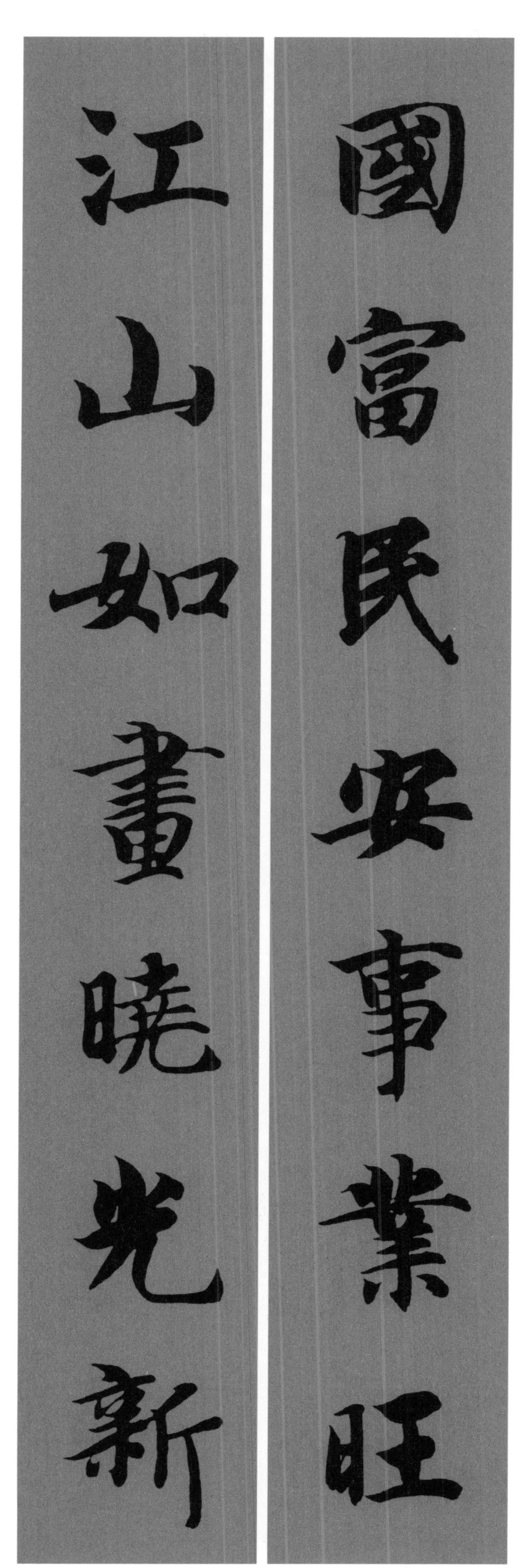

上联一 国富民安事业旺
下联一 江山如画晓光新

水色山光陽春萬里

花香鳥語麗景九州

上联— 水色山光阳春万里
下联— 花香鸟语丽景九州

東風引紫氣江山秀美

大地發春華桃李芬芳

上联 — 东风引紫气江山秀美
下联 — 大地发春华桃李芬芳

宏圖衆手繪

春曲神龍吟

上联—宏图众手绘
下联—春曲神龙吟

上联—碧海开龙殿
下联—青云起雁堂

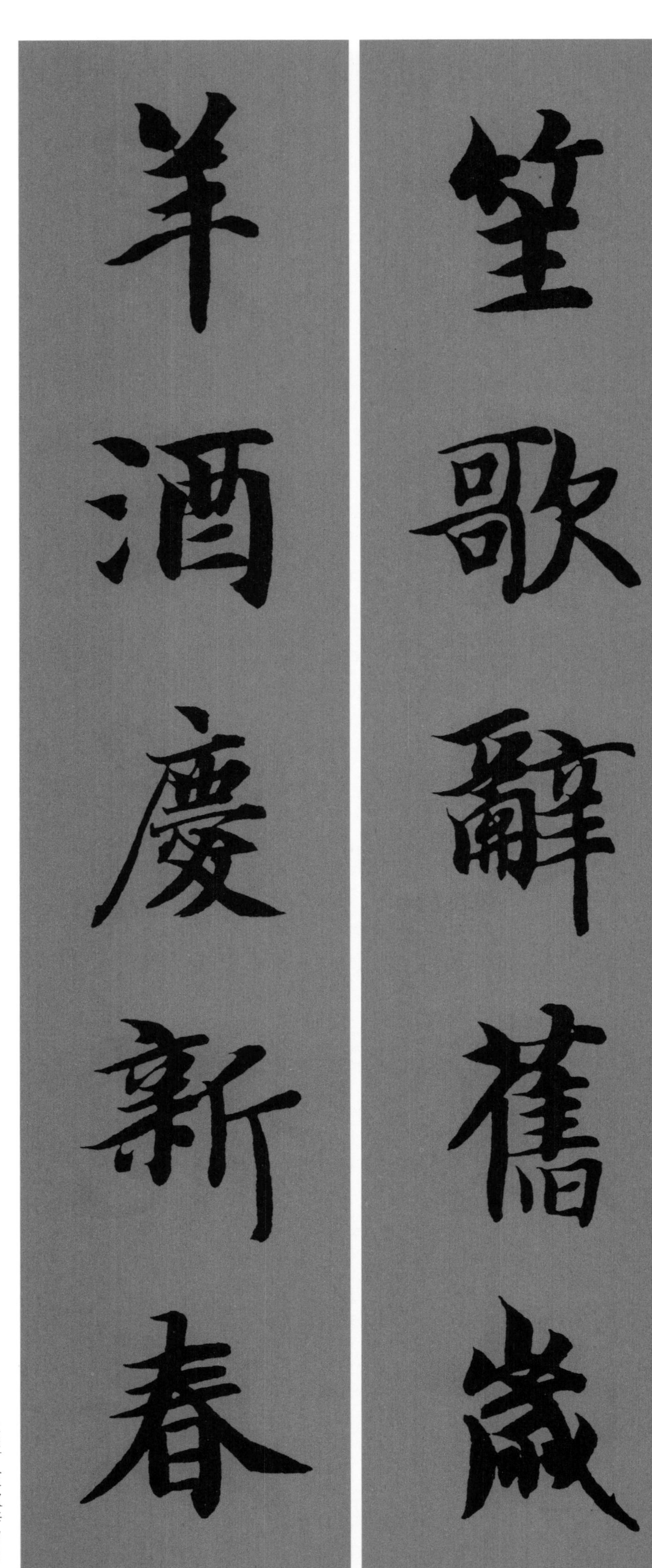

上联—笙歌辞旧岁
下联—羊酒庆新春

上联 鸡鸣天放晓
下联 政改地回春

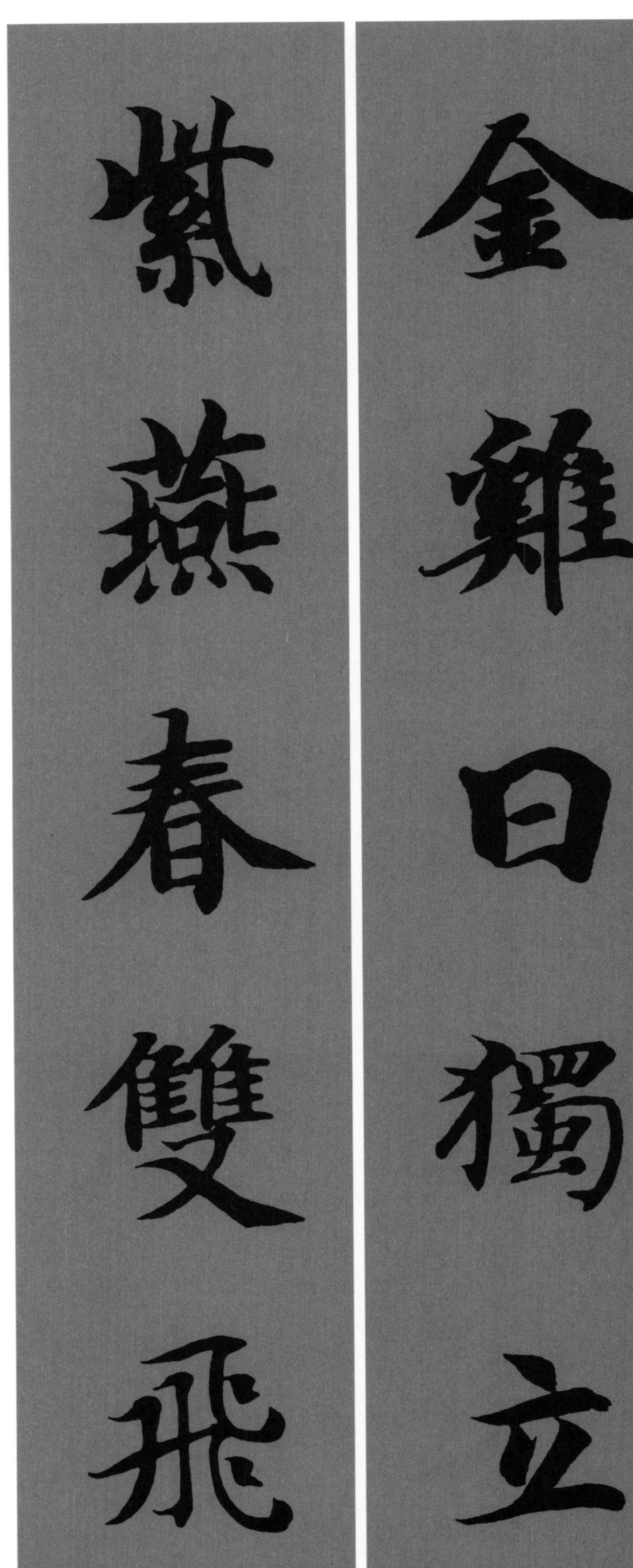

上联　金鸡日独立
下联　紫燕春双飞

上联—神州大地千家富
下联—龙腾华夏万户春

欣看大地千里秀

笑望巨龍四海飛

上联—欣看大地千里秀

下联—笑望巨龙四海飞

紫燕迎春一路東風歌大治

金雞唱曉九州時雨潤小康

上联一 紫燕迎春一路东风歌大治
下联一 金鸡唱晓九州时雨润小康

横披｜ 吉祥如意

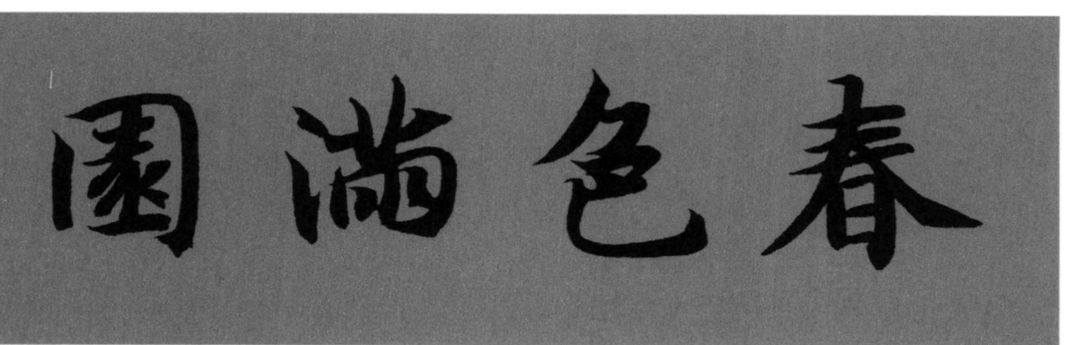

横披｜ 春色满园

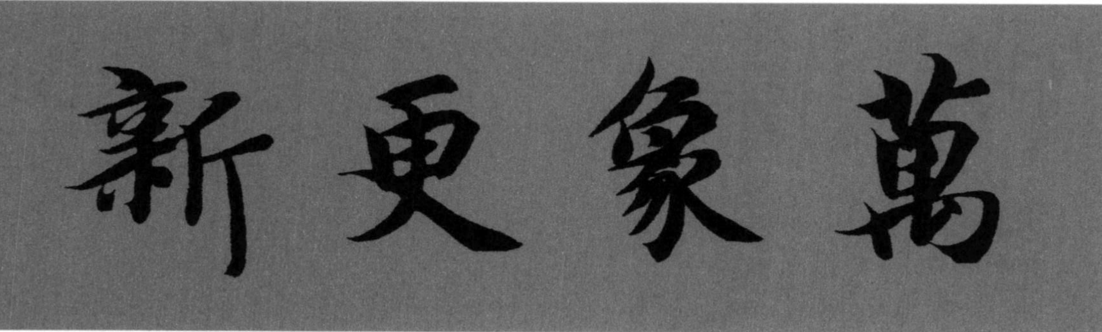

横披｜ 万象更新

横披｜ 物华天宝

横披｜ 春华秋实

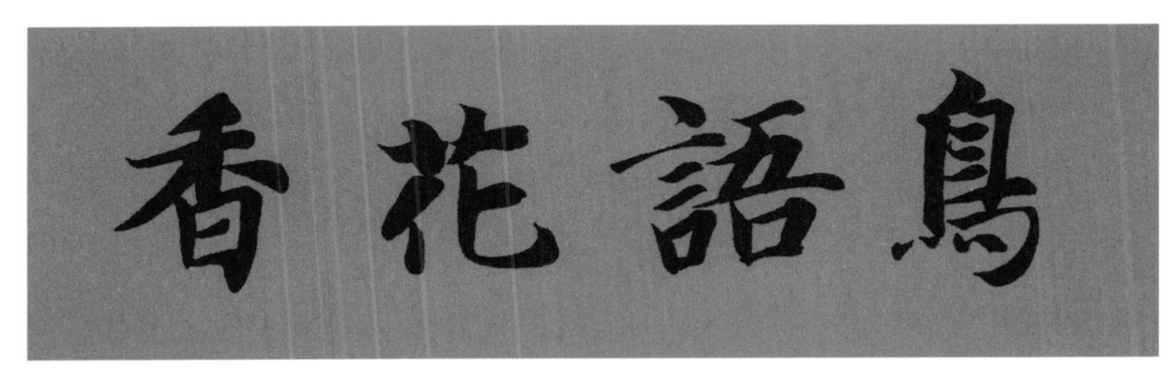

横披｜ 鸟语花香

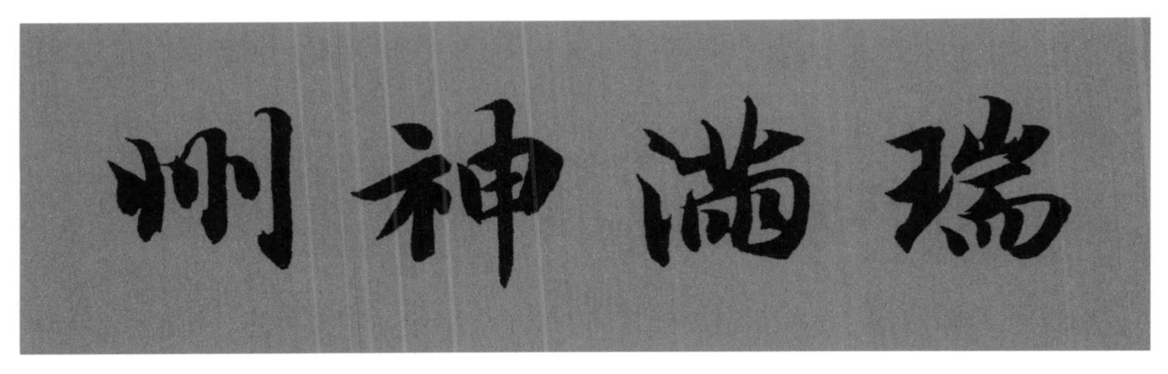

横披｜ 瑞满神州

小贴士

我国的第一副春联

五代后蜀主孟昶的“新年纳余庆，嘉节号长春”是我国的第一副春联。上联的大意是：新年享受着先代的遗泽。下联的大意是：佳节预示着春意常在。

图书在版编目(CIP)数据

智永楷书千字文集字春联/沈菊编.--上海:上海书画出版社，2019.1
（春联挥毫必备）
ISBN 978-7-5479-1917-0
Ⅰ.①智… Ⅱ.①沈… Ⅲ.①楷书-法帖-中国-隋代 Ⅳ.①J292.24
中国版本图书馆CIP数据核字(2018)第242217号

智永楷书千字文集字春联

春联挥毫必备

沈菊　编

责任编辑　张恒烟
审　　读　陈家红
责任校对　朱　慧
技术编辑　包赛明

出版发行　上海世纪出版集团
　　　　　上海书画出版社
地址　上海市延安西路593号　200050
网址　www.ewen.co
　　　www.shshuhua.com
E-mail　shcpph@163.com
制版　上海文高文化发展有限公司
印刷　浙江海虹彩色印务有限公司
经销　各地新华书店
开本　787×1092　1/12
印张　6.67
版次　2019年1月第1版　2019年1月第1次印刷
印数　0,001-4,000

书号　ISBN 978-7-5479-1917-0
定价　28.00元